La théorie
des sous-gradients
et ses applications
à l'optimisation

Fonctions convexes
et non convexes

COLLECTION DE LA CHAIRE AISENSTADT

Fondateur : Lucien LeCam, Université de Berkeley

Directeur : Anatole Joffe, directeur du Centre de recherches mathématiques de l'Université de Montréal

Dans la même collection

Robert Hermann, *Physical Aspects of Lie Group Theory,* 1974

Mark Kac, *Quelques problèmes mathématiques en physique statistique,* 1974

S. R. de Groot, *la Transformation de Weyl et la fonction de Wigner : une forme alternative de la mécanique quantique,* 1975

Jacques Louis Lions, *Sur quelques questions d'analyse, de mécanique et de contrôle optimal,* 1976

Donald E. Knuth, *Mariages stables et leurs relations avec d'autres problèmes combinatoires,* 1976

Cette collection est consacrée à la publication des conférences données, depuis 1970, au Centre de recherches mathématiques de l'Université de Montréal, dans le cadre de la Chaire Aisenstadt. C'est grâce à la générosité de Monsieur André Aisenstadt, docteur en physique théorique de l'Université de Zurich, que le Centre de recherches mathématiques peut inviter des chercheurs prestigieux et publier, aux Presses de l'Université de Montréal, le texte de leur conférence.

La théorie des sous-gradients et ses applications à l'optimisation

Fonctions convexes
et non convexes

R. Tyrrell Rockafellar

TRADUCTION DE G. VANDERSTRAETEN~TILQUIN

1979
Les Presses de l'Université de Montréal
C.P. 6128, succ. «A», Montréal, Qué., Canada H3C 3J7

ISBN 2-7606-0436-5

Dépôt légal, 1e trimestre 1979 — Bibliothèque nationale du Québec

TABLE DES MATIÈRES

PRÉFACE

Depuis le début des années soixante, des mathématiciens
ont mis beaucoup d'efforts dans le développement d'un calcul
différentiel généralisé pour les fonctions prolongées à valeurs réelles définies sur des espaces vectoriels réels, ce
calcul visant à l'analyse des problèmes de l'optimisation.

Dans de tels problèmes, de ceux associés aux modèles en
économie et en recherche opérationnelle à ceux associés aux
principes variationnels correspondant aux équations aux dérivées partielles, il est parfois nécessaire de traiter de
fonctions qui ne sont pas différentiables ni à droite ni à
gauche dans aucun sens traditionnel, et qui peuvent même prendre des valeurs infinies en certains points. Les dérivées
généralisées, telles que définies dans la théorie bien connue
des distributions, présentent peu d'intérêt puisqu'elles peuvent ne pas exister (parce que les fonctions en question ne

sont pas intégrables localement) et que leurs valeurs sont
souvent mal définies en certains points particuliers (les
changements sur un ensemble de mesure zéro étant permis). Les
points x d'intérêt particulier pour une fonction non différentiable f dans un problème d'optimisation, par exemple les
points où f possède un minimum local, sont probablement ceux-
là mêmes qui causent des difficultés dans certaines méthodes
classiques de la différentiabilité généralisée.

La théorie de la sous-dérivabilité exposée dans ces notes
de cours associe à f et à x un ensemble convexe fermé
$\partial f(x)$. Les éléments de $\partial f(x)$ sont appelés "sous-gradients"
et servent à décrire certains types particuliers de dérivées
directionnelles de f. Les travaux antérieurs sur les sous-
gradients, surtout par J.J.Moreau et l'auteur, concernaient
les fonctions convexes et leurs semblables. Danskin, Demjanov
et d'autres ont étudié les dérivées unilaterales de certaines
"fonctions de maximum" non convexes. Clarke, en 1973, a montré comment définir les sous-gradients de fonctions généralisées non convexes sur R^n de manière à couvrir tous les cas
précédents, y compris la différentiabilité classique. Le
sujet s'est élargi rapidement depuis.

Le but de ces notes a été de présenter un aperçu de cette
nouvelle, et plus vaste, théorie telle qu'elle prend forme
actuellement. La discussion se limite aux fonctions définies

sur R^n, afin de ne pas y introduire des complications techniques pouvant détourner notre attention des idées maîtresses
que nous voulons communiquer. Toutefois, nous offrons une
liste de références à des formules plus générales et à des ar-
ticles consacrés aux applications.

Le chapitre I tente de motiver le lecteur en discutant
des nombreuses façons dont les fonctions non différentiables
apparaissent et doivent être analysées. On y établit un cadre conceptuel et la notation pour les développements ulté-
rieurs. Après quelques résultats géométriques dans le chapitre II, la partie majeure de la théorie des sous-gradients
est présentée dans les chapitres III, IV et V. Le chapitre VI
explique le rapport entre cette théorie et les problèmes d'optimisation duaux, et le chapitre VII fournit le lien entre
cette nouvelle théorie, les inégalités variationnelles et les
opérateurs monotones.

Ces notes correspondent à une série de dix conférences
données par l'auteur au Centre de recherches mathématiques de
l'Université de Montréal en février et mars 1978, sous les
auspices de la chaire Aisenstadt. L'auteur remercie le D^r
André Aisenstadt, fondateur de cette chaire; il remercie
également le professeur Anatole Joffe de son invitation et
de son dévouement qui a permis à l'auteur et à sa famille de
passer un séjour très agréable à Montréal. Madame Godeliève

Vanderstraeten-Tilquin fit un excellent et conscientieux travail de traduction et Madame Francine Houle-Miller mérite des remerciements pour la dactylographie et la mise en page.

CHAPITRE I

LES FONCTIONS NON DIFFÉRÉNTIABLES EN OPTIMISATION

Le problème fondamental d'optimisation en dimension finie peut se décrire de la façon suivante:

$$\text{minimiser } f_0(x) \text{ sur } \{x \in D \subset R^n\}, \qquad (1.1)$$

où l'ensemble D peut inclure des contraintes explicites défi-nies au moyen d'autres fonctions f_i:

$$D = \{x \in C \mid f_i(x) \leq 0 \text{ pour } i=1,\ldots,m\}. \qquad (1.2)$$

En général, les fonctions $f_0,\ldots,f_m$ sont différentia-bles et l'ensemble C est de nature assez simple. Dans plu-sieurs applications cependant, ceci n'est pas le cas. Et même quand cela est vrai, il existe des raisons théoriques qui a-mènent à considérer des reformulations et des problèmes auxi-liaires où la différentiabilité est absente. Le but de cette introduction est d'expliquer ces faits en guise de justification de la théorie de la sous-différentiation qui va être présentée.

L'approximation de Tchebicheff fournit sans doute l'exemple le plus classique de la minimisation d'une fonction non différentiable. Soient $g_0, g_1, \ldots, g_n$ des fonctions continues sur un intervalle T fermé et borné (ou sur un quelconque espace topologique compact T). Le problème est d'approximer g_0 par une combinaison linéaire $a_1 g_1 + \ldots + a_n g_n$ et les coefficients $a = (a_1, \ldots, a_n)$ doivent être choisis de façon à minimiser

$$h(a) = \|g_0 \cdot \sum_{i=1}^{m} a_i g_i\| = \max_{t \in T} |g_0(t) - \sum_{i=1}^{m} a_i g_i(t)|. \qquad (1.3)$$

Ceci est un problème sans contraintes pour lequel la fonction de coût h n'est pas différentiable.

Si on se trouve face à des problèmes où les fonctions sont non différentiables, c'est, dans la plupart des cas, parce que certaines fonctions sont définies par un "problème d'optimisation". En particulier, il est fréquent de rencontrer une fonction non différentiable qui soit l'enveloppe supérieure d'un ensemble de fonctions qui peuvent être différentiables. Ce type de fonction est appelé "fonction de maximum". Dans le cas qui nous occupe, la fonction h est définie comme étant l'enveloppe supérieure de toutes les fonctions *affines* ℓ_t et $-\ell_t$ où

$$\ell_t(a) = g_0(t) - \sum_{i=1}^{n} a_i g_i(t), \quad t \in T.$$

Une fonction de R^n dans R peut se définir comme l'enveloppe supérieure d'un ensemble de fonctions affines si et seulement si cette fonction est convexe. Ce résultat bien connu est à l'origine de la transformation de Fenchel, qui joue un rôle prépondérant dans la théorie de la dualité. Mais ceci sera discuté plus loin, dans le cadre plus général de fonctions convexes, semi-continues inférieurement et à valeurs dans $\bar{R} = R \cup \{-\infty, +\infty\}$. Pour l'instant, il est important de remarquer que les fonctions convexes de type "fonction de maximum", ne sont pas nécessairement différentiables. Plusieurs modèles économiques se présentent sous la forme des problèmes (1.1)-(1.2) où la convexité des fonctions f_i découle naturellement de certains axiomes. Par conséquent, ces modèles rentrent dans la classe des problèmes d'optimisation non différentiables.

En plus d'être directement présentes dans certains problèmes, des fonctions non différentiables peuvent également se rencontrer après reformulation d'un problème en vue de simplifier les calculs ou encore pour permettre d'en déduire des conditions d'optimalité. Par exemple, si on définit la fonction

$$g(x) = \max_{i=1}^{m} f_i(x), \qquad (1.4)$$

l'ensemble des solutions réalisables (1.2) peut s'exprimer au moyen d'une contrainte explicite unique:

$$D = \{x \in C \mid g(x) \le 0\}.$$

Le résultat du passage des fonctions f_i à la fonction g est, évidemment, la perte de la différentiabilité. Par contre, un des avantages, est la réduction de la taille du problème, avantage évident, par exemple, pour toute approche qui implique l'association d'un multiplicateur de Lagrange à chaque contrainte explicite. Mais, plus important encore, si le nombre de contraintes est énorme (et on pourrait même considérer le cas d'un nombre infini de contraintes) contrairement à ce qui se passait avec la formulation initiale où chaque fonction f_i devait être conservée complètement à tout moment, la formulation en fonction de g permet de générer uniquement la contrainte qui est "active" pour un x donné lorsque le besoin s'en fait sentir.

Remarquons, entre autres, que le problème (1.1)-(1.2) pourrait, après reformulation, se réduire à la minimisation d'une fonction *linéaire* avec une contrainte d'inégalité unique et non différentiable. Pour $\tilde{x} = (x,\alpha) \in R^{n+1}$, définissons

$$\tilde{D} = \{\tilde{x} \mid x \in C\}, \quad \tilde{f}_0(\tilde{x}) = \alpha,$$

$$\tilde{f}_1(\tilde{x}) = \max\{f_0(x) - \alpha, f_1(x), \ldots, f_m(x)\}. \tag{1.5}$$

Le problème est alors de

$$\text{minimiser } \tilde{f}_0(\tilde{x}) \text{ sur } \{\tilde{x} \in \tilde{D} \mid \tilde{f}_1(\tilde{x}) \le 0\}. \tag{1.6}$$

Notons que $\tilde{f}_1$ défini ici et g en (1.4) sont des "fonctions de maximum".

Une des méthodes utilisées pour résoudre un problème de programmation non linéaire est celle des "pénalisations exactes". Dans une des versions de cette méthode, les contraintes $f_i(x) \leq 0$ sont introduites dans la fonction de coût qui devient

$$k(x) = f_0(x) + \sum_{i=1}^{m} r_i \max\{o, f_i(x)\}, \qquad (1.7)$$

où $r_i \geq 0$ est un facteur de *pénalisation*. Sous des conditions peu restrictives, il est possible de montrer que, pour des valeurs de r_i suffisamment grandes, la solution du problème

$$\text{minimiser } k(x) \text{ sur } \{x \in C\} \qquad (1.8)$$

coïncide avec la solution du problème (1.1)-(1.2). Donc, si on est capable de traiter directement la fonction non différentiable k, on peut se permettre de faire disparaître les contraintes d'inégalité. Pour que cette réduction soit possible, il est seulement nécessaire que la fonction

$$p(u) = \inf\{f_0(x) \mid x \in C, \ f_i(x) \leq u_i \text{ pour } i=1,\ldots,m\} \quad (1.9)$$

où $u = (u_1,\ldots,u_m)$, satisfasse la condition

$$p(u) > p(o) - \sum_{i=1}^{m} r_i |u_i| \quad \text{pour tout } u \neq 0. \qquad (1.10)$$

Des fonctions non différentiables, autres que celles du type "fonction de maximum" peuvent être rencontrées dans des problèmes de fabrication industrielle, lorsqu'un produit est construit dans les limites de certaines tolérances et, qu'après coup, des rajustements sont faits pour s'assurer que le produit répond aux exigences spécifiées. Par exemple, un modèle de composante électronique correspond à une certaine valeur d'impédance; cependant, en pratique, il est possible que cette valeur ne puisse être obtenue avec exactitude à chaque fois. Après fabrication, la composante sera "ajustée" pour corriger l'erreur si toutefois, cette erreur ne dépasse pas certaines limites.

Pour modéliser ce phénomène, supposons que le vecteur x de (1.1)-(1.2) représente la variable associée à la composante, mais, qu'en pratique, on ne puisse faire mieux que $x+y$ où y est un facteur d'erreur à valeurs dans l'ensemble compact $Y \subset R^n$. Les fonctions f_i dépendent non seulement de $x+y$ mais également d'un vecteur z ("paramètre d'ajustement") prenant ses valeurs dans l'ensemble compact $Z \subset R^k$. Supposons, par souci de simplicité, que l'ensemble C de (1.2) est égal à R^n. La condition pour que x soit réalisable s'exprime alors sous la forme suivante: pour tout $y \in Y$, il existe un $z \in Z$ tel que

$$f_i(x+y,z) \leq 0 \quad \text{pour} \quad i=1,\ldots,m.$$

La fonction de coût aussi, est dépendante de y et de z. Ceci nous force à adopter une formulation qui ressemble à celle de (1.5)-(1.6). Soit

$$\tilde{\tilde{f}}_1(x,\alpha) = \max_{y \in Y} \min_{z \in Z} \varphi(x+y,z,\alpha), \qquad (1.11)$$

où

$$\varphi(x+y,z,\alpha) = \max\{f_0(x+y,z)-\alpha, f_1(x+y,\alpha),\ldots,f_m(x+y,z)\} \quad (1.12)$$

Le problème est alors de minimiser la fonction linéaire $\tilde{f}_0(x,\alpha) = \alpha$ sur l'ensemble des $(x,\alpha) \in R^{n+1}$ qui satisfont l'unique contrainte non différentiable $\tilde{\tilde{f}}_1(x,\alpha) \leq 0$.

Jusqu'a présent, seule la non-différentiabilité a été examinée mais les fonctions non continues ainsi que les fonctions à valeurs infinies doivent également être prises en considération. Le *prolongement* de la fonction f_0 sur l'espace tout entier, défini par

$$f(x) = \begin{cases} f_0(x) & \text{si } x \in D \\ +\infty & \text{si } x \notin D, \end{cases} \qquad (1.13)$$

permet, lorsque la situation s'y prête, de négliger toute référence aux contraintes. Le problème (1.1)-(1.2) est alors équivalent au problème exprimé en fonction du prolongement de f_0, soit

$$\text{minimiser } f(x) \text{ sur } \{x \in R^n\}. \qquad (1.14)$$

En effet, si $D \neq \phi$, seuls les points de D sont des minima

possibles, tandis que, lorsque $D = \phi$, la valeur minimale est $+\infty$

et ceci peut être utilisé comme la définition d'un problème

irréalisable. Remarquons également que le prolongement de f_0

peut s'exprimer par

$$f = f_0 + \psi_D, \qquad (1.15)$$

où ψ_D est la fonction *indicatrice* de D, c'est-à-dire

$$\psi_D(x) = \begin{cases} 0 & \text{si } x \in D, \\ +\infty & \text{si } x \notin D. \end{cases} \qquad (1.16)$$

Donc, dans un certain sens, on peut dire qu'un problème

de minimisation de dimension finie peut se ramener à la mini-

misation, sur tout l'espace, d'une unique fonction f à valeurs

dans $R \cup \{+\infty, -\infty\}$. En fait, ceci est équivalent à minimiser f

sur son *domaine effectif* défini par

$$\text{dom } f = \{x \in R^n \mid f(x) < \infty\}. \qquad (1.17)$$

La condition $x \in \text{dom } f$ est alors qualifiée de *con-*

trainte implicite du problème. L'avantage d'une telle formu-

lation est de reporter à un autre niveau de discussion les

détails inhérents à la forme de f, et par conséquent inhérents

à la nature des contraintes, et permet de se concentrer uni-

quement sur des aspects qui ne sont pas directement reliés à

la nature des contraintes.

Dans ce contexte, il est clair que, non seulement f est en général non différentiable, mais également non continue, en particulier aux points frontières de l'ensemble réalisable (1.17) où la fonction fait un saut à $+\infty$. Il faut cependant imposer certaines conditions sur f pour que la minimisation soit possible. La condition qui semble la plus naturelle est la *semi-continuité inférieure* c'est-à-dire

$$f(x) = \liminf_{x' \to x} f(x')$$

$$= \sup_{X \in N(x)} \inf_{x' \in X} f(x'), \qquad (1.18)$$

où

$N(x)$ = l'ensemble de tous les voisinages de x. *(1.19)*

La fonction f est semi-continue inférieurement si et seulement si tous les ensembles de la forme

$$\{x \in R^n \mid f(x) \le \alpha\}, \quad \alpha \in R, \qquad (1.20)$$

sont fermés. De plus, si les ensembles (1.20) sont compacts, on dit que f est *inf-compacte*. Dans ce cas, on peut voir facilement que f doit avoir un minimum sur R^n (c'est-à-dire que le problème (1.14) a une solution), puisque l'ensemble des points de minimum est en fait l'intersection des ensembles non vides (1.20) pour $\alpha > \inf f$. De façon générale, une fonction f semi-continue inférieurement atteint un minimum sur tout ensemble compact. (Dans le cas d'un maximum, la semi-continuité supérieure est requise. Puisqu'en optimisation, il est rare de s'intéresser à la fois aux valeurs minimales et maximales, la continuité est en général superflue.)

La semi-continuité inférieure de f peut s'interpréter géométriquement en disant que l'*épigraphe* de f défini par

$$\text{épi } f = \{(x,\alpha) \in R^{n+1} \mid \alpha \geq f(x)\}, \qquad (1.21)$$

est un ensemble fermé. En fait, un sous-ensemble de R^{n+1} est l'épigraphe d'une fonction f semi-continue inférieurement sur R^n si et seulement si celui-ci est un fermé pour lequel l'intersection avec toute "ligne verticale" est un intervalle "infini vers le haut". Il est également à noter que le domaine effectif de f, qui est en fait la projection de épi f sur R^n, ne doit pas nécessairement être un fermé pour que f soit semi-continue inférieurement. La fonction

$$f(x) = \begin{cases} 1/x & \text{si } x>0 \\ +\infty & \text{si } x\leq 0, \end{cases}$$

en est un contre-exemple.

Une fonction f à valeurs dans $R \cup \{+\infty, -\infty\}$ est *convexe* si épi f est un ensemble convexe. Cette définition est la même que la définition habituelle donnée en termes d'inégalité, soit

$$f((1-\lambda)x+\lambda x') \;\leq\; (1-\lambda)f(x) + \lambda f(x'), \qquad 0<\lambda<1, \;\; (1.22)$$

mis à part le fait que cette dernière n'a de sens, lorsque f prend des valeurs égales à +∞ et -∞, que si on adopte des conventions spéciales. Un problème de la forme (1.14) est appelé *problème de minimisation convexe* si la fonction f est convexe. Ceci est par exemple le cas d'un problème pour lequel la fonction f est définie par (1.13), l'ensemble des solutions réalisables D par (1.2), où C est un ensemble convexe et $f_0,\ldots,f_m$ sont des fonctions convexes.

Même lorsqu'on est en présence d'un problème convexe, il est préférable de considérer la semi-continuité inférieure plûtot que la continuité. Prenons par exemple, la fonction

$$f_0(\xi_1,\xi_2) \;=\; \begin{cases} \xi_1^2/2\xi_2 & \text{si } \xi_2 > 0, \\ 0 & \text{si } \xi_1=\xi_2=0, \\ +\infty & \text{autrement.} \end{cases} \qquad (1.23)$$

Par rapport à l'ensemble convexe et compact

$$C \;=\; \{(\xi_1,\xi_2)\,|\,\xi_1^4 \leq \xi_2 \leq 1\}, \qquad (1.24)$$

f_0 est continue en tout point sauf en (0,0), mais, par contre, f_0 n'est pas bornée supérieurement sur C. On peut montrer que

$$f_0(\xi_1,\xi_2) \;=\; \sup_{(\eta_1,\eta_2)} \{\xi_1\eta_1+\xi_2\eta_2\,|\,\eta_1^2+2\eta_2 \leq 0\}, \quad (1.25)$$

et par conséquent, f_o peut également être considérée comme
une "fonction de maximum". Ainsi, non seulement la différentiabilité mais également la continuité peuvent faire défaut
dans le cas de fonction de maximum, et ceci peut très bien se
produire en un point d'un ensemble compact où la fonction prend
une valeur finie.

Un concept très important en optimisation est celui de
problèmes paramétriques. Sous une forme générale, le problème
peut être décrit par une fonction $f(x,\omega)$ définie pour $x \in R^n$
et $\omega \in R^k$. A chaque choix du paramètre ω correspond le problème de minimisation de $f(x,\omega)$ sur $\{x \in R^n\}$. L'ensemble

$$D(\omega) = \{x \in R^n \,|\, f(x,\omega) < \infty\} \qquad (1.26)$$

étant généralement dépendant de ω , il en est de même pour
les contraintes implicites. La fonction

$$p(\omega) = \inf_x f(x,\omega), \qquad (1.27)$$

est appelée la *fonction marginale* du problème. Il est évident
que celle-ci a peu de chances d'être différentiable ou continue.
De plus, il est fort possible que p prenne les valeurs $+\infty$
et $-\infty$. Donc, nous nous trouvons, une fois de plus, en présence de fonctions non classiques.

Si $f(x,\omega)$ est convexe en x et en ω , alors $p(\omega)$
est convexe en ω. Si $f(x,\omega)$ est semi-continue inférieurement

en x et en ω, et si pour tout $\alpha \in R$ et pour tout ensemble borné $W \subset R^k$, l'ensemble

$$\{(x,\omega) \,|\, f(x,\omega) \leq \alpha \quad \text{et} \quad \omega \in W\} \qquad (1.28)$$

est borné, alors p est semi-continue inférieurement en ω .

La fonction définie en (1.9) est un bon exemple de fonction marginale. Dans ce cas, on a

$$f(x,u) = \begin{cases} f_0(x) & \text{si } x \in C \text{ et } f_i(x) - u_i \leq 0 \\ & \text{pour } i = 1,\ldots,m, \\ +\infty & \text{autrement.} \end{cases} \qquad (1.29)$$

On peut considérer un cas encore plus général où le problème fondamental (1.1)-(1.2) serait tel que la fonction de coût et les contraintes dépendent du vecteur $\omega = (\omega_1,\ldots,\omega_k)$, et pour lequel on aurait:

$$f(x,\omega) = \begin{cases} f_0(x,\omega) & \text{si } x \in C \text{ et } f_i(x,\omega) \leq 0 \\ & \text{pour } i = 1,\ldots,m, \\ +\infty & \text{autrement.} \end{cases} \qquad (1.30)$$

Dans ce cas, la valeur optimale du problème, donnée par p, dépend de ω. L'étude de p prend une place importante dans l'analyse de la sensibilité du problème aux variations de ω. En sciences économiques, en particulier, les dérivées généralisées de différents types de fonctions p sont directement liées à la notion de prix associé aux composantes de ω.

En outre, la même fonction marginale peut se rencontrer après décomposition du problème

$$\text{minimiser } f(x,\omega) \text{ sur } \{(x,\omega) \in R^n \times R^k\}. \qquad (1.31)$$

Ce dernier est équivalent à

$$\text{minimiser } p(\omega) \text{ sur } \{\omega \in R^k\}, \qquad (1.32)$$

où p est donnée par (1.27). Une décomposition de ce type s'avère appropriée dans le cas où f(x,ω) est de nature simple par rapport à x. Par exemple, f(x,ω) peut être convexe en x et la minimisation par rapport à x peut éventuellement s'exprimer comme un programme linéaire d'un type spécial. La résolution du sous-problème (1.27) définissant p(ω) peut alors être relativement aisée pour chaque ω . On espère ainsi trouver la solution du problème général en utilisant pour résoudre le problème réduit (1.32) (qui ne présente aucune caractéristique particulière) une méthode qui se sert des résultats fournis par la résolution répétée du sous-problème (1.27) pour différentes valeurs de ω.

Les approches utilisant la dualité fournissent un autre exemple de l'introduction de fonctions non différentiables par l'intermédiaire d'un problème auxiliaire, ou encore en raison d'une décomposition. Le *problème dual* habituellement associé à (1.1)-(1.2) est:

$$\text{maximiser } g(y) \text{ sur } \{y \in R^m\}, \qquad (1.33)$$

où $y = (y_1, \ldots, y_m)$ et

$$
g(y) = \begin{cases} \inf_{x \in C} \{f_0(x) + \sum_{i=1}^{m} y_i f_i(x)\} & \text{si } y \geq 0 \\ -\infty & \text{si } y \not\geq 0. \end{cases} \qquad (1.34)
$$

Le problème dual exprimé sous cette forme, ressemble à un signe près, au problème discuté plus haut. Les contraintes implicites sont représentées par la condition $g(y) > -\infty$, et celle-ci peut avoir des caractéristiques intéressantes lorsque l'ensemble C et les fonctions f_i sont dotés d'une structure spéciale. Une telle structure pourrait avoir comme résultat de rendre la minimisation par rapport à x dans (1.34), relativement simple à effectuer. Il est à noter que l'expression à minimiser est affine en y pour tout x, et par conséquent, g est non seulement une "fonction de maximum" mais est aussi concave (c'est-à-dire que -g est une "fonction de maximum" convexe). Notre propos n'est pas de discuter les relations unissant le problème initial et le problème dual, mais plutôt de souligner le fait que la résolution du problème dual conduit, elle aussi, à traiter une fonction non différentiable pour laquelle la valeur et les propriétés locales au point y ne pourraient être déterminées qu'en solutionnant un sous-problème dépendant de y.

Finalement, notons que l'ensemble C du problème (1.1)-(1.2) peut, lui-même, être d'une nature complexe. En parti-

culier, on rencontre des problèmes pour lesquels C ne peut être
défini en termes de contraintes explicites de type égalité ou
inégalité. Une telle situation se présente en théorie du
contrôle optimal lorsque C est l'ensemble des états qui
peuvent être atteints sur une période de temps fixée, à partir
d'un état initial fixe. Pour plus de précision, supposons
que C soit l'ensemble des points $x \in R^n$ pour lesquels il
existe une fonction $\xi(t)$ absolument continue sur l'intervalle
$0 \leq t \leq 1$ et qui satisfait $\xi(0) = x_0$ (un point donné), $\xi(1)=x$
et $\dot{\xi}(t) \in E(t,\xi(t))$ pour presque tous les $t \in [0,1]$, où E
est une multi-application de $[0,1] \times R^n$ dans R^n. Sans entrer
dans les détails, on peut dire que, si E satisfait certaines
conditions, l'ensemble C est compact et ses éléments peuvent
être déterminés par différents procédés. Le problème d'optimisation (1.1)-(1.2) a donc du sens et peut être traité en
dépit d'une représentation de C fort différente de celle sous
forme de contraintes, considérée comme allant de soi en programmation non linéaire.

Par ces exemples, nous avons touché plusieurs champs
d'application, mais ceux-ci ne seront pas analysés en détails
dans ces notes. A vrai dire, certaines de ces applications
n'ont atteint qu'un stade de développement incomplet. Le but
de ces notes est plutôt de décrire la théorie des sous-gra-

dients généralisés telle qu'elle se dessine actuellement, et
d'indiquer les idées qui en ressortent.

CHAPITRE II

CÔNES TANGENTS ET VECTEURS NORMAUX

La théorie classique de la différentiation et le concept géométrique d'hyperplan tangent à une hypersurface sont
étroitement liés. D'autres cas de "tangence" ont été l'objet
d'études en mathématiques; pensons, par exemple, aux droites
tangentes à des courbes, ou encore, aux espaces tangents à des
"sous-variétés différentiables" de R^n. Dans chaque cas, l'idée
maîtresse est de linéariser une fonction non linéaire donnée,
dans le voisinage d'un point donné. Dans ces conditions, il
n'est pas étonnant que la différentiation soit perçue comme un
moyen pour linéariser des fonctions.

La méthode de Newton par exemple, essaie de résoudre
une équation non linéaire en la transformant, de façon répéti-
tive, en une série d'équations linéaires. Plusieurs problèmes
"linéaires" de mathématiques appliquées sont, en fait, obtenus
au moyen d'une linéarisation par différentiation d'un problème

non lineaire, autour de certains points critiques. Plusieurs
branches des mathématiques, telles que l'algèbre linéaire ou
l'analyse fonctionnelle, sont en réalité des dérivées de cette
approche. Même si ces sujets sont beaux et importants en eux-
mêmes, il faut réaliser, qu'en ce qui concerne les applications
aux autres sciences, ceux-ci ne servent pas à décrire les phé-
nomènes mais servent plutôt comme outil, soit pour simplifier
le problème soit pour des questions de résolution numérique.

Ce qui se dégage **de** la théorie de l'optimisation, et
ceci àcause de ses retombées sur l'ensemble des mathématiques,
est sans contredit, la nécessité de disposer d'un éventail
plus large d'approximations par différentiation. La linéarisation peut être remplacée par la *convexification*. Au lieu de
consider, comme on le fait en général, une symétrie bilatérale
(plus-moins), on peut s'attaquer à l'étude de ce que Moreau a
introduit sous le nom d'*analyse unilatérale*.

Cette idée a été mise de l'avant pour la première fois
dans le calcul des variations, plus particulièrement dans le
travail effectué, dans les années 30, par l'école de Chicago.
A cette occasion, le rôle de la convexité et de la convexification dans l'établissement de théorèmes d'existence et de conditions d'optimalité a été souligné. En outre, des problèmes
comprenant des contraintes d'inégalité et pas seulement d'égalité, ont été étudiés et ceci a ouvert des perspectives neuves.

C'est en partie pour cette raison, mais également à cause de l'intérêt suscité par les modèles économiques d'optimisation (tant pour la recherche opérationnelle que pour les sciences économiques), que la théorie de la convexité a été développée pour elle-même. On a également découvert que plusieurs concepts habituels pouvaient être étendus; par exemple, les fonctions convexes possèdent une dérivée directionnelle (unilatérale) qui peut se définir par rapport à un ensemble de vecteurs "sous-gradients" qui obéissent à des règles semblables aux règles habituelles de la théorie classique du calcul.

Ces dernières années, un pas important a été fait grâce à la contribution de Clarke qui a montré comment la convexification automatique par différentiation peut être utilisée dans les cas où la convexité n'est pas nécessairement présente. Ces idées ont fait naître un nouvel espoir; celles-ci, combinées avec les résultats déjà connus pour les ensembles et les fonctions convexes, pourraient déboucher sur une sorte d'analyse non linéaire qui ouvrirait des horizons nouveaux.

Il est souvent dit que pour bien saisir un concept mathématique, il faut passer par son interprétation géométrique. C'est pour cette raison que nous nous intéresserons en premier lieu aux cônes tangents et aux vecteurs normaux par rapport à un ensemble, plutôt que de s'attaquer directement aux notions de dérivées directionnelles et de sous-gradients d'une fonction.

Avant de passer aux concepts introduits par Clarke, il est peut-être utile de faire un rappel de la notion de tangence unilatérale, notion familière depuis un certain temps déjà en théorie de l'optimisation.

Désormais C désigne un sous-ensemble de R^n, fermé et non vide, et x désigne un point de C. L'ensemble

$$K_C(x) = \{y \mid \exists t_k \downarrow 0,\ y^k \to y,\ \text{tel que}\ x + t_k y^k \in C\} \qquad (2.1)$$

a été introduit dans les années 30 par Bouligard sous le nom de *cône contingent* à C au point x. A cette époque, cet ensemble a été étudié dans le cadre de la théorie des dérivées de fonctions à une ou deux variables (voir S.Saks [1]). Ces dernières années, cet ensemble a été utilisé en programmation mathématique et en contrôle optimal sous le nom de cône "tangent" (voir par exemple le livre de M.Hestenes [2]), mais dans ces notes, ce terme sera réservé au cône introduit par Clarke.

Il est à noter que le cône contingent $K_C(x)$ peut également se définir (par rapport à la notion de voisinage définie en (1.19)) comme l'ensemble de tous les y pour lesquels

$$\forall V \in N(y),\ \lambda > 0,\ \exists t \in (0,\lambda)\ \text{tel que}\ x + tY \cap C \neq \phi. \qquad (2.2)$$

Ou encore

$$K_C(x) = \bigcap_{\substack{V \in N(0) \\ \lambda > 0}} \bigcup_{t \in (0,\lambda)} [t^{-1}(C-x) + V] \qquad (2.3)$$

$$\triangleq \limsup_{t \downarrow 0} t^{-1}(C-x).$$

Rappelons quelques propriétés élémentaires de $K_C(x)$. (Dans ces notes, les résultats énoncés ne seront pas démontrés en détail, seul le schéma de pensée sera décrit; de plus, dans les cas plus complexes, nous nous bornerons à mentionner les références dans lesquelles on retrouve une argumentation plus détaillée.)

PROPOSITION 2A. $K_C(x)$ est un cône fermé (mais pas nécessairement convexe) qui contient l'origine. ∘

Ici le terme "cône" désigne un ensemble contenant tous les multiples positifs de ses éléments. Le fait que le cône contingent ne soit pas toujours convexe, est vraiment regrettable car dans plusieurs applications, en particulier en optimisation, la dualité joue un rôle important en ce sens qu'une correspondance est établie entre les cônes convexes et leurs polaires (voir plus loin). Les critères de base qui déterminent si un cône contingent est convexe sont donnés par les propositions suivantes.

PROPOSITION 2B. Si C est convexe, alors $K_C(x)$ est convexe et

$$K_C(x) = c\ell\{y \mid \exists t>0 \text{ tel que } x+ty \in C\}. \quad \circ \quad (2.4)$$

PROPOSITION 2C. Soit C une variété linéaire différentiable dans un voisinage de x, c'est-à-dire

$$C = \{x' | g_j(x')=0 \text{ pour } j=1,\ldots,r\},$$

où les fonctions g_j sont continûment différentiables dans un voisinage de x et les gradients $\nabla g_j(x)$, $j=1,\ldots,r$ sont linéairement indépendants. Alors $K_C(x)$ est convexe, et peut s'écrire:

$$K_C(x) = \{y | y \cdot \nabla g_j(x) = 0 \text{ pour } j=1,\ldots,r\}. \quad (2.5)$$

En fait, (2.5) signifie que $K_C(x)$ est le sous-espace lineaire tangent à C au point x, au sens habituel du terme. La proposition suivante décrit une situation fréquente en programmation mathématique. (Pour la démonstration voir le livre de Hestenes [2], p.241.)

PROPOSITION 2D. Soit $C = \{x' | f_i(x') \leq 0 \text{ pour } i=1,\ldots,m\}$, où les fonctions f_i sont continûment différentiables au voisinage de $x \in C$. Soit

$$I(x) = \{i | f_i(x) = 0\}, \quad (2.6)$$

et supposons que l'hypothèse de régularité de Mangasarian-Fromowitz soit vérifiée, c'est-à-dire que, s'il existe des μ_i pour lesquels

$$\left.\begin{array}{l} \mu_i \geq 0 \text{ pour } i \in I(x) \\[2em] \sum_{i \in I(x)} \mu_i \nabla f_i(x) = 0 \end{array}\right\} \;\Rightarrow\; \mu_i = 0 \text{ pour tout } i \in I(x). \quad (2.7)$$

Ceci entraîne que $K_C(x)$ est convexe et peut s'écrire

$$K_C(x) = \{y \mid y \cdot \nabla f_i(x) \leq 0 \text{ pour tout } i \in I(x)\}. \quad (2.8)$$

(Il existe également une version combinée des propositions 2C et 2D.)

$K_C(x)$ étant fréquemment non convexe, on est amené en pratique à considérer des *sous-cônes convexes* de $K_C(x)$, lors de l'établissement des conditions nécessaires d'optimalité pour différents problèmes (comme par exemple dans les problèmes de contrôle optimal non convexe apparaissant, entre autres, dans les théories de Hestenes [3] et de Neustadt [4]. Habituellement ces sous-cônes sont obtenus par une construction appropriée à chaque cas, alors que ce qui est souhaitable est une théorie qui permettrait de construire de tels cônes de façon systématique.

Les récents résultats de Clarke [5] sont un pas important dans cette direction. Le *cône tangent* à C au point x, dans le sens de Clarke, est défini par

$$T_C(x) = \{y \mid \forall t_k \downarrow 0, \; x^k \to x \text{ où } x^k \in C,$$

$$\exists y^k \to y \text{ avec } x^k + t_k y^k \in C\}. \quad (2.9)$$

(La définition donnée initialement par Clarke est plus indi-
recte que celle-ci, mais les deux sont équivalentes par la proposition 3.7 de [5].) En terme de voisinage, la définition
(2.9) dit que le cône tangent est déterminé par l'ensemble des
y satisfaisant

$$\forall Y \in N(y), \; \exists X \in N(x), \; \lambda > 0, \; \forall x' \in C \cap X, \; t \in (0,\lambda):$$

$$x' + tY \cap C \neq \phi, \qquad\qquad (2.10)$$

ce qui est équivalent à

$$T_C(x) = \bigcap_{\substack{V \in N(0) \\ \lambda > 0}} \; \bigcup_{X \in N(x)} \; \bigcap_{\substack{x' \in C \cap X \\ t \in (0,\lambda)}} [t^{-1}(C-x')+V]$$

$$\stackrel{\Delta}{=} \liminf_{\substack{x' \to x \\ t \downarrow 0}} t^{-1}(C-x'). \qquad\qquad (2.11)$$

Le cône tangent s'avère être, dans tous les cas, un sous-cône *convexe* du cône contingent.

THEOREME 2E. $T_C(x)$ est une cône convexe, fermé contenant l'origine, et $T_C(x) \subset K_C(x)$.°

Ce théorème est très important pour comprendre les avantages qu'offre $T_C(x)$ par rapport à $K_C(x)$, et d'autre part, peut paraître étonnant du fait qu'aucune condition n'est exigée sur l'ensemble C sinon d'être fermé. Pour ces raisons, nous en donnerons une démonstration simple et directe.

Démonstration.   Il est facile de vérifier que $T_C(x)$ est un sous-cône fermé de $K_C(x)$. Il suffit donc de considérer les éléments y^0 et y^1 de $T_C(x)$ et de prouver que $y^0 + y^1$ est un élément de $T_C(x)$.

Vérifions que la condition (2.10) est satisfaite pour $y^0 + y^1$. Pour cela, fixons $Y \in N(y)$ et choisissons des voisinages bornés $Y_0 \in N(y^0)$, $Y_1 \in N(y^1)$, tels que $Y_0 + Y_1 \subset Y$. Etant donné que $y^k \in T_C(x)$, il existe, pour $k = 0,1$, des $X_k \in N(x)$, $\lambda_k > 0$ pour lesquels

$$(x' + tY_k) \cap C \neq \phi \text{ pour tout } x' \in C \cap X_k, \; t \in (0, \lambda_k). \quad (2.12)$$

Choisissons $X \in N(x)$ et $\lambda > 0$ suffisamment petits pour que

$$\lambda \leq \min\{\lambda_0, \lambda_1\}, \; X \subset X_0, \; X + tY_0 \subset X_1 \text{ pour tout } t \in (0, \lambda). (2.13)$$

Considérons maintenant $x' \in C \cap X$, $t \in (0,\lambda)$ et montrons que $(x'+tY) \cap C \neq \phi$. On a que $x' \in C \cap X_0$ et $r \in (0,\lambda_0)$, et ainsi, par la relation (2.12), on sait que, pour $k=0$, il existe $x'' \in C \cap (x'+tY_0)$. Alors, par la relation (2.13), $x'' \in C \cap X_1$ et $t \in (0,\lambda_1)$, et de ce fait, par la relation (2.12) pour $k=1$, on a que $x''+tY_1$ a une intersection non vide avec C. D'autre part

$$x''+tY_1 \subset (x'+tY_0)+tY_1 \subset x'+tY.$$

Par conséquent $(x'+tY) \cap C \neq \phi$, et la preuve est complétée.□

THEOREME 2F. Si C est convexe alors $T_C(x) = K_C(x)$. Et ceci est également vrai sous les hypothèses des propositions 2C et 2D. ⊛

Le théorème 2F dit simplement que le cône tangent de Clarke coïncide avec le cône contingent dans les cas où ce dernier était pleinement satisfaisant. On peut donc, sans négliger quoique ce soit, utiliser le cône tangent, ce qui offre l'avantage d'assurer que le cône avec lequel on travaille, est toujours convexe. Bien entendu, ceci ne signifie pas que les "hypothèses de régularité" (qualification des contraintes) peuvent être éliminées magiquement de nos préoccupations mais qu'on peut aller de l'avant sans en tenir compte et les voir plutôt comme une "vérification de dernière minute" à effectuer dans certaines situations.

Nous dirons que C est *tangentiellement régulier* au point x si $T_C(x) = K_C(x)$. Ainsi, le théorème 2F stipule les conditions qui assurent la régularité tangentielle. Cette propriété implique, par l'intermédiaire du théorème 2E, que $K_C(x)$ est une cône convexe. Par conséquent, le théorème 2F recouvre les conclusions des propositions 2B, 2C, 2D, mais il contient une information supplémentaire, à savoir que, dans ces conditions, tous les vecteurs qui possèdent la propriété (2.2), possèdent également la propriété plus puissante (2.10). Finalement, on a l'impression que le cône contingent n'offre un intérêt réel que dans les cas où C est tangentiellement régulier au point x.

Puisque $T_C(x)$ est toujours convexe, on peut se servir de la dualité, sous la forme d'une correspondance de polarité entre les cônes convexes, fermés et contenant l'origine, pour définir le concept de "vecteur normal". Le *cône normal* à C au point x est défini par

$$N_C(x) = \{z \in R^n | y \cdot z \leq 0 \text{ pour tout } y \in T_C(x)\} \stackrel{\Delta}{=} T_C(x)^0. \quad (2.14)$$

Réciproquement on a

$$T_C(x) = \{y \in R^n | y \cdot z \leq 0 \text{ pour tout } z \in N_C(x)\} \stackrel{\Delta}{=} N_C(x)^0. \quad (2.15)$$

PROPOSITION 2G.   Si C est convexe alors on a

$$N_C(x) = \{z | (x'-x) \cdot z \leq 0 \text{ pour tout } x' \in C\}. \circ \qquad (2.16)$$

Cette proposition découle des théorème 2F et proposition 2B. Elle montre que le cône normal tel que défini en (2.14) coïncide avec ce qu'on appelle habituellement cône normal en analyse convexe. La relation (2.16) dit que $N_C(x)$ est formé du vecteur nul et de tous les vecteurs z qui sont normaux aux demi-espaces d'appui de C au point x.

On peut voir également, par les théorème 2F et proposition 2C, que, lorsque C est une "variété linéaire différentiable", $N_C(x)$ est le complément orthogonal de l'espace tangent (au sens classique) et se décrit comme étant le sous-espace linéaire de R^n, engendré par l'ensemble des gradients $\nabla g_j(x)$. Lorsque les hypothèses de la proposition 2D sont satisfaites, $N_C(x)$ est le cône convexe possédant un nombre fini de faces et formé par l'ensemble des combinaisons linéaires non négatives des vecteurs $\nabla f_i(x)$, $i \in I(x)$.

Un autre cône mérite notre attention, bien que jouant un rôle secondaire. C'est le *cône hypertangent* à C au point x, qui est défini par

$$H_C(x) = \{y | \exists X \in N(x), \lambda > 0, \forall x' \in C \cap X, t \in (0,\lambda) : x' + ty \in C\}. \quad (2.17)$$

Les vecteurs non nuls de $H_C(x)$ correspondent aux "directions de déplacement admissibles" à l'intérieur de C à partir de x. De tels vecteurs sont particulièrement intéressants pour les méthodes qui, en cours de calcul, effectuent des déplacements d'un point à l'autre, tout en restant à l'intérieur de l'ensemble C.

PROPOSITION 2H. $H_C(x)$ est une cône convexe contenant l'origine (mais pas nécessairement fermé), et $H_C(x) \subset T_C(x)$. °

La convexité de $H_C(x)$ se démontre aisément en utilisant une version simplifiée de la preuve donnée dans le théorème 2E pour montrer la convexité de $T_C(x)$. Nous verrons dans un moment que les cônes $H_C(x)$ et $T_C(x)$ sont étroitement liés, ce qui pourrait laisser croire, de prime abord, que tout ce qu'on peut faire avec $T_C(x)$ peut également être fait, mais de façon plus simple, avec $H_C(x)$. Cette impression est vite effacée si on considère l'exemple où C est une "variété différentiable" complètement non linéaire dans un voisinage de x; dans ce cas, $T_C(x)$ est l'espace tangent habituel tandis que $H_C(x)$ se réduit au seul vecteur nul.

L'ensemble C est appelé *épi-lipschitzien* au point x par rapport à y, si il satisfait une condition plus forte que celle exigée par la définition (2.17), soit

$$\exists Y \in N(y), \ X \in N(x), \ \lambda > 0, \ \forall x' \in C \cap X, \ t \in (0,\lambda): \ x' + tY \subset C. \quad (2.18)$$

Lorsque y=0, cette condition est équivalente à $x \in$ int C, et est satisfaite pour tout $y \in R^n$. Le qualificatif épi-lipschitzien est plutôt suggéré par le cas où x est un point frontière de C et $y \neq 0$; alors la relation (2.18) signifie que, si on décompose R^n en une droite $\{ty | t \in R\}$ et son complément orthogonal, C peut être perçu au voisinage de x, comme étant l'épigraphe d'une fonction lipschitzienne continue (où y détermine la direction "verticale"). En particulier, la frontière de C est, dans un voisinage de x, une hypersurface lipschitzienne.

Ces remarques sont expliquées plus en détails, dans un article de Rockafellar [6]. Le résultat le plus important de cet article est donné par le théorème suivant.

THEOREME 21.   C est épi-lipschitzien au point x par rapport à y si et seulement si $y \in$ int $T_C(x)$. (En particulier, $x \in$ int C si et seulement si $T_C(x) = R^n$.) ⊗

L'inattendu dans ce théorème, est que la condition $y \in$ int $T_C(x)$ soit suffisante pour garantir à C d'être épi-lipschitzien. D'autre part, il est intéressant de noter que l'affirmation entre parenthèses peut se mettre sous la forme duale suivante:

x est un point frontière de C $\Leftrightarrow$ $N_C(x) \neq \{0\}$. *(2.19)*

Par conséquent, tout ensemble fermé possède au moins un "vec-teur normal" non nul en chaque point frontière. Pour un ensemble convexe, ceci revient à dire qu'il existe au moins un demi-espace d'appui en chaque point frontière. Il s'agit évidemment de faire attention à ce qu'on entend par "normal"; ce terme prend ici un sens plus large et peut même recouvrir les vecteurs dirigés vers l' "intérieur" de l'ensemble.

Les résultats du théorème 2I impliquent un lien étroit entre les cônes tangent et hypertangent.

COROLLAIRE 2J. int $T_C(x)$ = int $H_C(x)$. ⊚

Ceci découle du fait que les vecteurs satisfaisant la relation (2.18) sont à l'intérieur de $H_C(x)$ et que $H_C(x)$ est un sous-ensemble de $T_C(x)$. De par la convexité, on a le résultat suivant.

COROLLAIRE 2K. Si int $H_C(x) \neq \phi$ alors

$$T_C(x) = c\ell\, H_C(x) \quad \text{et} \quad N_C(x) = H_C(x)^0. ⊚$$

De plus, par le corollaire 2J et la dualité entre $T_C(x)$ et $N_C(x)$, on a:

int $H_C(x) \neq \phi$ $\Leftrightarrow$ int $T_C(x) \neq \phi$ $\Leftrightarrow$ $N_C(x)$ est saillant. *(2.20)*

(Un cône convexe et fermé est dit *saillant* si le négatif de chaque élément du cône n'est pas contenu dans ce cône, ou de façon équivalente, si le cône ne contient aucune droite entièrement.) Un autre résultat, semblable à celui du corollaire 2K, concerne l'*extérieur* de C:

COROLLAIRE 2L.   Soit x un point frontière de C et définissons $C' = R^n \backslash \text{int } C$. Si $\text{int } H_C(x) \neq \phi$ alors $T_{C'}(x) = -T_C(x)$ et $N_{C'}(x) = -N_C(x)$. ⊗

Par conséquent, si x est contenu à la fois dans C et C', et si **soit** $N_C(x)$ soit $N_{C'}(x)$ est saillant, alors on a $N_{C'}(x) = -N_C(x)$.

Le corollaire 2K est particulièrement intéressant lorsqu'on veut avoir une interprétation géométrique des cônes tangent et normal dans un exemple donné, et ce du fait que le cône hypertangent est plus simple et plus facile à visualiser. C'est en travaillant avec des ensembles possédant des points de rebroussement ou des points angulaires vers l'extérieur et vers l'intérieur, qu'on peut acquérir une bonne intuition de la nature de ces cônes et voir comment ceux-ci sont reliés au cône contingent. La caractérisation du cône normal donnée par Clarke [5] et décrite dans la proposition suivante, peut faciliter la tâche.

Nous disons que y est une *normale proximale* de C au point x si, pour tout $t > 0$ suffisamment petit, x est le point le plus proche de $x+ty$ (par rapport à la distance euclidienne) et est unique.

PROPOSITION 2M. $N_C(x)$ est l'enveloppe convexe fermée de l'ensemble

$$\{y \,|\, \exists y^k \to y, \; x^k \to x, \text{ tel que } y^k \text{ est}$$
une normale proximale de C au
point $x^k\}.$ ⊛ $\qquad\qquad (2.21)$

Cette proposition peut donner la fausse impression que la multi-application $N_C : x \to N_C(x)$, $x \in C$ est toujours *fermée* c'est-à-dire que

$$\text{si } x^k \to x, \; y^k \in N_C(x^k), \; y^k \to y \quad \text{alors} \quad y \in N_C(x). \quad (2.22)$$

Mais ceci n'est en général pas vrai comme on peut le voir pour

$$C \;=\; \{(\xi_1,\xi_2,\xi_3) \in R^3 \,|\, \xi_3 = \xi_1\xi_2 \text{ ou } \xi_3 = -\xi_1\xi_2\}.$$

Le cône normal à C au point $(0,0,0)$ est composé du seul axe ξ_3 tandis qu'en tout point $(\xi_1,0,0)$ où $\xi_1 \neq 0$ le cône normal est le plan $\xi_2\xi_3$. Le résultat suivant, basé en partie sur le théorème 2I et ses corollaires, montre qu'une telle situation n'est cependant pas habituelle.

PROPOSITION 2N.   Si C est convexe ou si $N_C(x)$ est saillant

alors la multi-application N_C est fermée au sens défini par

la relation (2.22). ∘

A la lumière des remarques faites au sujet de la linéa-

risation, on pourrait se demander si la théorie qui vient d'ê-

tre exposée dans le cadre de l'espace *linéaire* R^n n'a pas le

même type de limitations. Or, les cônes que nous avons con-

sidérés sont tous "locaux" et par conséquent, la même théorie

tient dans le cadre de variétés différentiables ou encore,

étant donné que la dérivabilité est une notion qu'on peut

élargir, la théorie pourrait peut-être être encore plus géné-

rale.

CHAPITRE III

SOUS-DÉRIVÉES ET SOUS-GRADIENTS

La dérivabilité au point x d'une fonction à valeurs réelles étant reliée à l'existence d'un hyperplan tangent au graphe de la fonction f au point (x,f(x)), il est normal, lorsqu'on s'attaque au type d'analyse non linéaire que nous voulons faire, d'étudier le comportement des cônes contingent, tangent et hypertangent associés à l'*épigraphe* de f au point (x,f(x)). Ces cônes servent à définir des dérivées directionnelles généralisées de f au point x par rapport à des vecteurs y. Ensuite, en utilisant la convexité ainsi que la dualité entre les tangentes et les normales, on peut développer une théorie dans laquelle les "sous-gradients" remplacent les gradients habituels.

Une telle théorie a été développée principalement par J.J.Moreau et R.T.Rockafellar dans les années 60 pour les fonctions convexes. (Pour plus amples détails et références, voir par exemple [7].) Cette théorie a déjà fait l'objet de nombreuses applications, et pas seulement en optimisation. Elle couvre également le cas des fonctions concaves et des fonctions de selle (fonction à deux variables, convexe par rapport à l'une et concave par rapport à l'autre). On verra un peu plus loin, que cette théorie est très proche de celle des "opérateurs monotones".

Jusqu'à tout récemment, on disposait de peu de résultats en ce qui concerne les fonctions qui ne sont ni concaves, ni convexes, ni fonctions de selle, et qui ne sont même pas différentiables. Quelques théorèmes au sujet des dérivées directionnelles unilatérales ont été établis dans les cas de "fonctions de maximum" par Danskin, Demjanov *et al*. (Voir le livre de V.Demjanov [8]). Un certain nombre de résultats classiques peuvent également être classés dans cette catégorie, par exemple, le théorème de Rademacher qui dit qu'une fonction lipschitzienne continue sur un ouvert U dans R^n est différentiable presque partout. (Voir le livre de Saks [1] pour des résultats de ce type.)

Bien sûr, la théorie des "distributions" de L.Schwartz, dans son développement d'après les années 60, traite également des dérivées de fonctions qui ne sont pas différentiables au sens habituel. Cette branche des mathématiques est certainement l'une des plus importantes et des plus intéressantes qui ait été développée ces derniers temps. Cependant, par sa

nature, elle diffère sensiblement du sujet qui nous occupe, et
est particulièrement mal adaptée à l'établissement de conditions
d'optimalité. En outre, les dérivées unilatérales d'une fonction en un point *particulier* sont à peine envisagées, alors
qu'en optimisation, les points vers lesquels nous devons porter
notre attention sont presque toujours ceux où il n'y a pas dif-
ferentiabilité au sens habituel. La plupart des résultats de
la théorie des distributions sont énoncées en des termes propres aux classes d'équivalence de fonctions qui peuvent être
différentes l'une de l'autre dans un ensemble de mesure zéro.
De ce fait, les fonctions prenant des valeurs $+\infty$ ou $-\infty$ sont
lourdes à manipuler. (Néanmoins, il y a sûrement encore
beaucoup de choses à apprendre en ce qui concerne les relations unissant les "distributions" et les dérivées généralisées que nous étudierons plus loin.)

   Dans le contexte qui nous occupe, c'est à F.H.Clarke
que nous devons le passage des cas convexes aux cas non convexes. Dans [5], il introduit d'abord l'ensemble $\partial f(x)$ des
"gradients généralisés" pour les fonctions localement lipschitziennes, et ceci en se basant sur les résultats du théorème
de Rademacher. Ensuite, il définit les vecteurs normaux à
un ensemble fermé C en fonction des gradients généralisés de la
fonction (lipschitzienne) de distance

$$d_C(x') = \min_{x'' \in C'} |x'-x''|$$

au point $x \in C$. Finalement, il définit $\partial f(x)$ pour une
fonction f semi-continue inférieurement en fonction des vecteurs normaux à l'épigraphe de f au point x. Il montre alors
que ces définitions s'enchaînent logiquement et que l'ensemble
ainsi défini correspond dans le cas convexe à l'ensemble $\partial f(x)$
des "sous-gradients". Vient ensuite la notion de cône tangent,
défini comme étant le cône polaire du cône normal. Cependant,
Clarke montre que cette définition est équivalente à celle que
nous avons donnée au chapitre 2.

La démarche que nous suivrons pour expliquer ces concepts,
est à l'inverse de celle adoptée par Clarke. Nous nous base-
rons en grande partie sur un article en cours de rédaction
(R.T.Rockafellar [9]), et évidemment sur les travaux de Clarke.
Nous nous inspirerons également de la thèse écrite en 1977
par J.B.Hiriart-Urruty (Université de Clermont-Ferrand, France;
en particulier la section qui apparaîtra bientôt [10]).

Dans ce qui suit, nous supposons que f est une *fonction
semi-continue inférieurement définie sur R^n, à valeurs dans
$R \cup \{\pm\infty\}$ et que x est un point pour lequel $f(x)$ a une
valeur finie.* Alors, épi f est un sous-ensemble fermé de
R^{n+1}, contenant le point $(x,f(x))$, et nous pouvons donc appliquer les résultats de la section 2. Le fait de se limiter

aux fonctions semi-continues inférieurement n'est pas une restriction importante mais elle a cependant certains inconvénients.
En fait, [9] et [10] ne font pas une telle restriction et permettent même de remplacer R^n par un espace de dimension infinie. Si nous imposons cette restriction, c'est uniquement dans
le but de simplifier la présentation de ces notes. Toutefois,
il est important de noter que les résultats que nous allons
énoncer ne sont plus tous vrais lorsque f n'est pas semi-
continue inférieurement dans un voisinage de x, à fortiori
lorsque l'espace est de dimension infinie, et que certaines
définitions doivent être modifiées.

Nous commençons par rappeler quelques notions de la
"différentiation". Si la limite

$$f'(x;y) \;=\; \lim_{t \downarrow 0} \frac{f(x+ty)-f(x)}{t} \qquad (3.1)$$

existe (+∞ et -∞ sont ici des valeurs permises), celle-ci
est appelée dérivée directionnelle (unilatérale) de f au
point x par rapport à y. La dérivée bilatérale, plus fréquemment rencontrée, correspond au cas où $f'(x;y)=-f'(x;-y)$.

Il est possible que $f'(x;y)$ soit linéaire en y, c'est-
à-dire

$$f'(x;y) \;=\; y \cdot z \text{ pour tout } y \in R^n, \qquad (3.2)$$

et dans ce cas, les composantes de z sont les derivées
partielles (bilatérales) de f au point x par rapport à

chaque coordonnée. Mais ceci ne correspond pas encore à une
fonction différentiable (bien qu'une telle fonction soit parfois appelée "faiblement" différentiable ou différentiable
"au sens de Gateaux"). Pour qu'une fonction soit *différentiable* au sens habituellement utilisé dans le cadre d'un espace
de dimension finie, une propriété plus forte doit être satisfaite, et celle-ci est souvent exprimée sous la forme

$$f(x') = f(x) + (x'-x) \cdot z + o(|x'-x|) \quad \text{pour tout } x' \quad (3.3)$$

ce qui est équivalent à

$$\lim_{\substack{y' \to y \\ t \downarrow 0}} \frac{f(x+ty')-f(x)}{t} = y \cdot z \quad \text{pour tout } y. \quad (3.4)$$

Une fonction f est *strictement différentiable* si f prend
des valeurs finies dans un *voisinage* de x et si

$$\lim_{\substack{x' \to x \\ y' \to y \\ t \downarrow 0}} \frac{f(x'+ty')-f(x')}{t} = y \cdot z \quad \text{pour tout } y. \quad (3.5)$$

Notons que cette définition est donnée sous une forme plus
compliquée qu'il n'est nécessaire afin de faciliter les compa-
raisons avec la propriété de "différentiabilité" donnée par
la relation (3.4). En fait, la relation (3.5) est équivalente
à

$$\lim_{\substack{x' \to x \\ t \downarrow 0}} \frac{f(x'+ty)-f(x')}{t} = y \cdot z \quad \text{pour tout } y. \quad (3.6)$$

Dans tous les cas où la relation (3.2) est satisfaite, le vecteur z est appelé le *gradient* de f au point x et est représenté par ∇f(x), et par conséquent

$$f'(x;y) = y \cdot \nabla f(x) \quad \text{pour tout } y. \qquad (3.7)$$

Tout comme la "continuité" peut être divisée en "semi-continuité" inférieure et supérieure, de même on dira que f est *semi-différentiable inférieurement* au point x si il existe un vecteur z pour lequel

$$\liminf_{\substack{y' \to y \\ t \downarrow 0}} \frac{f(x+ty')-f(x)}{t} \geq y \cdot z \quad \text{pour tout } y, \qquad (3.8)$$

ce qui est équivalent à

$$f(x') \geq f(x) + (x'-x) \cdot z + o(|x'-x|) \quad \text{pour tout } x'. (3.9)$$

Dans ce cas, z est appelé *semi-gradient inférieur*. Cette terminologie est nouvelle, bien que ces notions aient déjà été utilisées mais sous des noms différents. En particulier, les vecteurs z qui satisfont la relation (3.9) ont été appelés "sous-gradients". Toutefois, il semble plus adéquat de réserver ce terme pour une classe plus étendue de vecteurs, que nous étudierons plus loin. La notion de sous-gradient telle que nous la définissons correspondra cependant dans la plupart des cas, à la notion de sous-gradient utilisée en analyse convexe.

Le concept de semi-différentiabilité inférieure à une

portée limitée et ne constitue pas le point central de notre analyse. Cependant, ce concept est naturellement associé aux fonctions de maximum et par conséquent aux fonctions convexes, et son rôle est depuis longtemps reconnu en théorie de l'optimisation. La proposition suivante décrit ces liens.

PROPOSITION 3A.   Soit φ une fonction pour laquelle $f(x)=\varphi(x)$ et $f(x') \geq \varphi(x')$ pour tout x' dans un voisinage de x. Si φ est différentiable au point x, alors f est semi-différentiable inférieurement au point x et $\nabla\varphi(x)$ est son semi-gradient inférieur. ⊛

Dans le cas de "fonctions de maximum", les semi-gradients inférieurs sont parfois utilisés pour décrire les dérivées directionnelles. Mentionnons tout d'abord un résultat dû à J.M. Danskin [11]; pour d'autres résultats sur ce sujet, voir l'article de V.F.Demjanov et V.N.Malozemov [12] et également [8].

PROPOSITION 3B.   Soit

$$f = \sup_{w \in W} \varphi_w , \qquad (3.10)$$

où l'ensemble W est un espace topologique compact (c'est-à-dire un ensemble fini de la topologie discrète) et où chaque

φ_w est une fonction différentiable pour laquelle $\varphi_w(x')$ et $\nabla\varphi_w(x')$ sont continus en (w,x'). Soit

$$M(x) = \{w \mid \varphi_w(x) = f(x)\} \qquad (3.11)$$

un sous-ensemble compact et non vide de W. Alors $f'(x;y)$ existe en tout point y et sa valeur est donnée par

$$f'(x;y) = \max_{w \in M(x)} y \cdot \nabla\varphi_w(x). \quad \otimes \qquad (3.12)$$

Une fonction $\ell(y)$ est *sous-linéaire* dans R^n si son épigraphe est un cône convexe contenant l'origine, autrement dit si $\ell(\lambda y) = \lambda\ell(y)$ pour tout $\lambda > 0$ et $\ell(0) < \infty$ (par conséquent, on a soit $\ell(0) = 0$, soit $\ell(0) = -\infty$). Une fonction sous-linéaire finie peut donc être caractérisée par l'inégalité

$$\ell(\sum_k \lambda_k y^k) \le \sum_k \lambda_k \ell(y^k) \quad \text{pour } \lambda_k \ge 0. \qquad (3.13)$$

Une relation similaire peut être établie pour le cas général après avoir défini une arithmétique tenant compte des valeurs $+\infty$ et $-\infty$. Notons également qu'une fonction sous-linéaire est linéaire si et seulement si ℓ est une fonction à valeurs finies pour laquelle $-\ell(-y) = \ell(y)$.

Par ordre d'importance, les fonctions sous-linéaires viennent immédiatement après les fonctions linéaires et dans ce qui suit, nous nous attarderons à étudier un tel type de

fonction. Il est évident qu'une "fonction de maximum" obtenue
à partir d'un ensemble non vide de fonctions linéaires (et pas
simplement affines) est non seulement sous-linéaire mais également semi-continue inférieurement et ne prend jamais la valeur $-\infty$. La dualité que l'on peut établir entre certaines dérivées et certains "sous-gradients" tient au fait que l'inverse
est aussi vrai: toute fonction sous-linéaire qui est semi-
continue inférieurement et partout différente de $-\infty$, peut être
représentée par l'enveloppe supérieure d'un ensemble non vide
de fonctions linéaires. Pour l'instant, il nous suffit d'ob-
server que, d'après la relation (3.12) *la fonction $y \to f'(x;y)$*
définie dans la proposition 3B est sous-linéaire, à valeurs
finies et, par conséquent, est continue. (Toute fonction
convexe, à valeurs finies, définie sur un ensemble ouvert
convexe de dimension finie est nécessairement continue [7].)

PROPOSITION 3C.   Si f est convexe alors la fonction $y \to$
$f'(x;y)$ est sous-linéaire (mais pas nécessairement semi-continue inférieurement, et peut prendre la valeur $+\infty$). De plus,
les propriétés suivantes sont équivalentes:

   (a) $f'(x;y) \geq y \cdot z$ pour tout y,

   (b) $f(x') \geq f(x) + (x'-x) \cdot z$ pour tout x',

   (c) z est un semi-gradient inférieur de f au point x.

Les propriétés que nous venons d'énoncer découlent pour la plupart, du fait que le quotient de la relation (3.1) est monotone: lorsque f est convexe, le quotient est une fonction croissante en $t > 0$, et par conséquent on peut remplacer la limite par un infimum. La condition (b) est habituellement utilisée en analyse convexe pour définir le "sous-gradient" z de la fonction f au point x. La portée véritable de la proposition 3C sera mieux comprise plus loin.

Passons maintenant à l'étude des cônes associés à l'épigraphe de f au point $(x,f(x))$.

PROPOSITION 3D. Le cône contingent $K_{\text{épi } f}(x,f(x))$ est l'épigraphe de la fonction

$$y \rightarrow \lim_{\substack{y' \rightarrow y \\ t \downarrow 0}} \inf \frac{f(x+ty')-f(x)}{t} . \qquad \qquad (3.14)$$

Notons que cette fonction est celle qui apparaît dans la définition (3.8) des sous-gradients inférieurs. Etant donné que $K_{\text{épi } f}(x,f(x))$ n'est généralement pas un cône convexe, cette fonction n'est généralement *pas* sous-linéaire,et ceci constitue sa principale faiblesse.

La sous-linéarité est très importante, et grâce aux travaux de Clarke nous savons maintenant comment on peut l'obtenir. En effet, il suffit de considérer la fonction dont

l'épigraphe est le cône *tangent* à épi f au point $(x,f(x))$.
Cette fonction n'est malheureusement pas facile à exprimer,
et sa manipulation nécessite l'introduction d'un nouveau concept de limite (Rockafellar [9]). Etant donné que cette fonction est celle qui s'impose naturellement, il faut se résigner
à une certaine lourdeur dans les notations et essayer d'en tirer
le maximum de profit.

   Le nouveau concept de limite dont nous avons besoin,
n'est ni une "lim sup" ni une "lim inf", mais un mélange des
deux, que nous appellerons "lim sup inf". Si on considère une
fonction g définie sur un produit d'espaces topologiques
alors cette limite est donnée par

$$\lim_{u'\to u\ v'\to v} \sup\ \inf\ g(u',v') =$$

$$\sup_{V\in N(v)}\ \inf_{U\in N(u)}\ \sup_{u'\in U}\ \inf_{v'\in V}\ g(u',v'). \qquad (3.15)$$

Nous introduisons également la notation suivante:

$$x' \to_f x \quad \text{équivalent à} \quad x' \to x \quad \text{et} \quad f(x') \to f(x). \qquad (3.16)$$

Notons que lorsque f est continue par rapport à x, "$\to_f$" et
"$\to$" sont équivalents.

   On dispose maintenant de tous les outils nécessaires
pour définir la *sous-dérivée supérieure* de f au point x
par rapport à y:

$$f^\uparrow(x;y) = \lim_{\substack{x'\to_f x \\ y'\to y \\ t\downarrow 0}} \sup \inf \frac{f(x'+ty')-f(x')}{t}. \qquad (3.17)$$

Complètement développée, cette limite s'écrit:

$$\sup_{\substack{Y\in N(y) \\ \delta>0 \\ \lambda>0}} \inf_{\substack{X\in N(x) \\ x'\in X: \\ f(x')\le f(x)+\delta}} \sup_{t\in(0,\lambda)} \inf_{y'\in Y} \frac{f(x'+ty')-f(x')}{t}. \qquad (3.18)$$

Heureusement, dans la plupart des cas importants, cette limite ne sera pas nécessaire sous sa forme générale et une version simplifiée suffira. Par contre, lorsque f n'est pas semi-continue inférieurement au point x, une forme encore plus compliquée de cette limite devra être utilisée (voir [9]).

PROPOSITION 3E. Le cône tangent $T_{\text{épi } f}(x,f(x))$ est l'épigraphe de la fonction $y \to f^\uparrow(x;y)$. Par conséquent, cette dernière est sous-linéaire et semi-continue inférieurement. ⊗

Une fonction sous-linéaire ℓ qui est semi-continue inférieurement satisfait une des deux conditions suivantes:

(i) $\ell(y) = \pm\infty$ pour tout y, et $\ell(0) = -\infty$,

(ii) $\ell(y) > -\infty$ pour tout y, et $\ell(0) = 0$.

Il est bien connu en analyse convexe que la condition (ii) est satisfaite   et seulement si il existe un ensemble D *convexe, fermé et non vide* pour lequel:

$$\ell(y) \;=\; \sup_{z \in D} y \cdot z.$$

De plus, cet ensemble est unique et peut être décrit en fonction de ℓ par

$$D \;=\; \{y \,|\, \ell(y) \ge y \cdot z \text{ pour tout } y\}.$$

(si ℓ satisfait la condition (i), D se réduit à l'ensemble vide). Ainsi, il existe une relation injective de dualité entre les fonctions ℓ sous-linéaires et semi-continues inférieurement, définies sur R^n, avec $\ell(o) = o$ et les ensembles convexes non vides $D \subset R^n$. On peut considérer ceci comme une extension naturelle de la correspondance injective existant entre les fonctions linéaires définies sur R^n et les singletons (points) de R^n.

L'étape suivante consiste à définir le *sous-différentiel* de f au point x par:

$$\partial f(x) \;=\; \{z \in R^n \,|\, f^{\uparrow}(x;y) \ge y \cdot z \text{ pour tout } y\}. \qquad (3.19)$$

De la proposition 3E et des remarques qui précèdent, découle le résultat suivant.

THEOREME 3F. Le sous-différentiel $\partial f(x)$ est toujours convexe et fermé, et peut également se définir par

$$\partial f(x) \;=\; \{z \in R^n \,|\, (z,-1) \in N_{\text{épi } f}(x, f(x))\}. \qquad (3.20)$$

De plus, si $\partial f^{\uparrow}(x;0) = -\infty$, alors $\partial f(x)$ est vide sinon $\partial f(x)$
est non vide et on a:

$$f^{\uparrow}(x;y) = \sup_{z \in \partial f(x)} y \cdot z \quad \text{pour tout } y. \quad \circ \qquad (3.21)$$

Clarke [5] a introduit le concept général de sous-différentiel
en utilisant la relation (3.20) comme définition, et les vecteurs z étaient appelés "gradients généralisés". La définition (3.19) faisant intervenir les sous-dérivées supérieures
est due à Rockafellar [9].

A première vue, il semble difficile de réaliser la ré-
elle importance des "sous-gradients" et des "sous-dérivées"
du fait surtout, que ceux-ci sont définis en fonction d'un nouveau type de limite assez complexe. Pour y arriver, il faut
passer par l'interprétation géométrique: d'abord se fami-
liariser avec les cônes tangent et normal pour différentes
situations (chapitre 2) ensuite prendre des épigraphes quel-
conques et voir dans ces cas, à quoi correspondent ces cônes.
Il est alors possible d'imaginer ce que représente l'épigraphe
de la sous-dérivée $f^{\uparrow}(x;.)$ par la proposition 3E, ainsi que
le sous-différentiel $\partial f(x)$ par la relation (3.20).   Donc,
jusqu'ici il n'est pas absolument nécessaire de comprendre
la définition de $f^{\uparrow}(x;y)$ donnée en fonction de la limite,
et on peut se concentrer uniquement sur les cas particuliers

que nous allons décrire maintenant, où $f^\uparrow(x;y)$ se présente

sous une forme simplifiée. (Toutefois, il faut savoir qu'une

définition englobant tous ces cas existe, et surtout que celle-

ci joue un rôle important dans les démonstrations des proposi-

tions que nous énonçons.)

Le cas des fonctions lipschitziennes et "directionnel-

lement" lipschitziennes sera vu en détails dans le chapitre 4.

Pour l'instant, notre objectif est de rendre plus claire la

signification de $f^\uparrow(x;y)$ et $\partial f(x)$ en montrant comment ceux-ci

se rattachent aux résultats obtenus dans les propositions 3A,

3B et 3C pour les semi-gradients inférieurs et pour les déri-

vées directionnelles unilatérales.

PROPOSITION 3G. Si f est convexe, alors pour tout $y \in R^n$,

on a

$$f^\uparrow(x;y) = \liminf_{y' \to y} f'(x;y) = \liminf_{\substack{y' \to y \\ t \downarrow 0}} \frac{f(x+ty')-f(x)}{t} .$$

$$(3.22)$$

En fait, on a $f^\uparrow(x;y) = f'(x;y)$ pour tout y tel que, pour

un $\lambda > 0$ quelconque, f prend des valeurs finies dans un voi-

sinage de $x+\lambda y$. Ainsi, si f est convexe, le sous-différen-

tiel $\partial f(x)$ est composé des vecteurs z qui possèdent les

propriétés équivalentes (a), (b),(c) de la proposition 3C.

En d'autres termes, ces vecteurs z correspondent aux fonc-

tions affines dont les graphes sont les hyperplans d'appui

"non-verticaux" de épi f au point (x,f(x)). ∘

On voit donc que ∂f(x), tel que nous l'avons défini, correspond au ∂f(x) défini dans la littérature traitant des fonctions convexes.

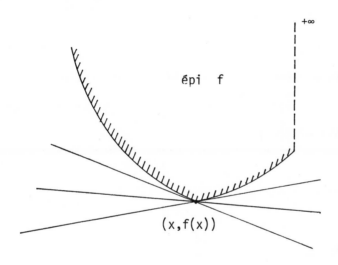

PROPOSITION 3H. Si f est une "fonction de maximum" du même type que celle définie dans la proposition 3.B alors pour tout y ∈ R^n

$$f^\uparrow(x;y) = f'(x;y) = \liminf_{\substack{y'\to y \\ t\downarrow 0}} \frac{f(x+ty')-f(x)}{t}. \quad (3.23)$$

De plus, dans ce cas, on a que

$$\partial f(x) = \text{enveloppe convexe de } \{\nabla\varphi_w(x)\,|\,w\in M(x)\}, \quad (3.24)$$

(ou M(x) est l'ensemble (compact) des indices pour lesquels le maximum définissant f(x) est atteint, voir (3.11)). ∞

Les propositions 3G et 3H se prouvent en combinant les résultats de Clarke [5] et de la proposition 3E (voir Rockafellar [9]).

Si de plus, on suppose que l'ensemble des indices est fini, alors on obtient un bel exemple de sous-gradients aisément calculables. Soient $f = \max\{\varphi_1, \varphi_2, \ldots, \varphi_r\}$, et C_j l'ensemble des points pour lesquels $\varphi_j = f$.

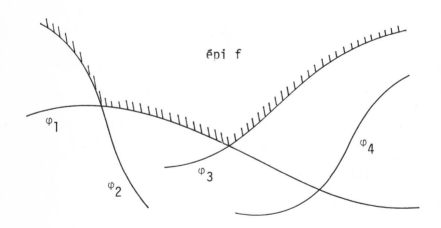

Si x n'appartient qu'à C_1, alors $\partial f(x) = \{\nabla\varphi_1(x)\}$. Si x est contenu dans $C_1 \cap C_2$ et dans aucun autre C_j alors $\partial f(x) = co\{\nabla\varphi_1(x), \nabla\varphi_2(x)\}$ (le segment de droite reliant $\nabla\varphi_1(x)$ et

$\nabla\varphi_2(x)$). Si x est contenu dans $C_1 \cap C_2 \cap C_3$ et dans aucun autre C_j, alors $\partial f(x) = co\{\nabla\varphi_1(x), \nabla\varphi_2(x), \nabla\varphi_3(x)\}$ (le tri-angle ayant pour sommets $\nabla\varphi_1(x)$, $\nabla\varphi_2(x), \nabla\varphi_3(x)$). Et la même chose peut être faite avec d'autres combinaisons d'indices.

Nous dirons que f est *sous-différentiellement réguliè-re (par le haut)* au point x si

$$f^\uparrow(x;y) = \lim_{\substack{y'\to y \\ t\downarrow 0}} \inf \frac{f(x+ty')-f(x)}{t} \quad \text{pour tout y.} \quad (3.25)$$

En se référant aux propositions 3D et 3E, on remarque que la relation (3.25) est équivalente à

$$T_{epi\ f}(x,f(x)) = K_{\acute{e}pi\ f}(x,f(x)). \quad (3.26)$$

Par conséquent, f est sous-différentiellement régulière au point x si et seulement si épi f est tangentiellement régulière au point $(x,f(x))$. Comme corollaire des propo-sitions 3G et 3H, on a alors que *f est sous-différentielle-ment régulière au point x lorsque f est une fonction con-vexe ou une "fonction de maximum" du type de celle définie dans la proposition 3B.*

En fait, la régularité sous-différentielle correspond à la situation où les "sous-gradients" et "semi-gradients in-férieurs" coïncident (et de ce fait, les sous-gradients peu-vent être décrits de façon intuitive).

PROPOSITION 3I. Le sous-différentiel $\partial f(x)$ contient l'ensemble des semi-gradients inférieurs de f au point x. De plus, si $\partial f(x) \neq \phi$, alors les deux ensembles coïncident si et seulement si f est sous-différentiellement régulière au point x.[s]

Ce résultat découle directement des propositions 3C,3D et de la relation

$$T_{\overline{e}pi\ f}(x,f(x)) \subset K_{\overline{e}pi\ f}(x,f(x)).\qquad (3.27)$$

D'un point de vue théorique, un fait intéressant est que les ensembles de R^n peuvent être caractérisés par certaines fonctions définies sur R^n, en l'occurrence les fonctions indicatrices (telles que définies par (1.16)). D'autre part, C est un ensemble fermé si et seulement si sa fonction indicatrice ψ_C est semi-continue inférieurement. De même, C est convexe si et seulement si ψ_C est convexe. On a également que l'épigraphe de ψ_C est un "demi cylindre vers le haut ayant C comme base".

PROPOSITION 3J. Soient C un ensemble fermé et x un point de C. Si $f = \psi_C$ alors

$$f^{\uparrow}(x;y) = \psi_{T_C(x)}(y),\qquad (3.28)$$

$$\partial f(x) = N_C(x).\qquad (3.29)$$

De plus, sous ces conditions, f est sous-différentiellement régulière au point x si et seulement si C est tangentiellement régulière au point x. ⁼

Cette proposition couvre en particulier, le cas des fonctions indicatrices d'ensembles convexes et de "variétés différentiables". Ces fonctions indicatrices, ainsi que celles des ensembles définis, comme dans la proposition 2D, par des inégalités, sont des exemples de fonctions sous-différentiellement régulières (voir théorème 2F).

La proposition 3J est particulièrement intéressante du fait qu'elle permet de formuler certains théorèmes en termes de fonction (comme ce sera le cas par exemple au chapitre 5, pour les théorèmes se rapportant aux sous-gradients de la somme de deux fonctions) et qu'elle montre que, appliqués aux fonctions indicatrices, ces théorèmes aboutissent à des résultats concernant les vecteurs normaux.

CHAPITRE IV

CAS LIPSCHITZIENS : SOUS-GRADIENTS EN TANT QUE LIMITES

Comme nous l'avons fait dans le chapitre précédent, nous supposons que f est une fonction semi-continue inférieurement sur R^n, à valeurs réelles dans $R \cup \{\pm\infty\}$ et prenant une valeur finie au point x. Nous étudierons maintenant les relations existant entre les sous-gradients et diverses dérivées directionnelles généralisées, en se basant cette fois, sur les propriétés du cône *hypertangent* à l'épigraphe de f au point (x,f(x)), propriétés qui permettent certaines simplifications. Lorsque le cône hypertangent n'est pas vide, ce qui se vérifie dans la plupart des cas, les sous-dérivées $f^{\uparrow}(x;y)$ peuvent s'exprimer de façon plus simple et le sous-différentiel $\partial f(x)$ peut se décrire comme l'enveloppe convexe des limites de gradients ou de semi-gradients inférieurs en des points x' tendant vers x.

Rappelons-nous que f est *lipschitzienne* dans l'ensemble X si f prend des valeurs finies dans X et s'il existe une constante $\mu \geq 0$ telle que:

$$|f(x")-f(x')| \leq \mu|x"-x'| \quad \text{pour tout } x',x" \in X. \quad (4.1)$$

De plus, f est *lipschitzienne au voisinage* de x si f est lipschitzienne dans un voisinage quelconque X de x. Dans ce cas, en particulier, f est continue en tout point intérieur de X.

La proposition suivante montre l'importance d'une telle classe de fonctions.

PROPOSITION 4A. La fonction f est lipschitzienne au voisinage de x si une des conditions suivantes est satisfaite:

(a) $f \in C^1$ dans un voisinage de x;

(b) f est une "fonction de maximum" du type défini dans la proposition 3B;

(c) f est convexe et à valeurs finies dans un voisinage de x;

(d) f est concave et à valeurs finies dans un voisinage de x;

(e) f est une fonction de selle, à valeurs finies dans un voisinage de x;

(f) f est une somme ou une combinaison linéaire d'un ensemble fini de fonctions lipschitziennes au voisinage de x.   &

Les cas (a) et (b) se démontrent par intégration respectivement des dérivées directionnelles et des dérivées unilatérales données dans la proposition 3B. Pour les cas (c), (d)
et (e) voir [7]. Le cas (f) découle immédiatement des définitions.

Pour simplifier l'étude de ces fonctions, ainsi que
certaines autres qui ne sont pas nécessairement continues au
point x, on introduit l'expression:

$$f^0(x;y) \;=\; \limsup_{\substack{x' \to_f x \\ t \downarrow 0}} \frac{f(x'+ty)-f(x')}{t}, \qquad (4.2)$$

où on utilise à nouveau la notation

$$x' \to_f x \quad \text{équivalent à} \quad x' \to x \quad \text{et} \quad f(x') \to f(x).$$

Cette expression a été étudiée pour la première fois par
Clarke [5] dans le cas où f est lipschitzienne au voisinage
de x. (Alors $x' \to_f x$ peut être remplacé par $x' \to x$).

PROPOSITION 4B. La fonction $y \to f^0(x;y)$ est toujours sous-
linéaire (mais pas nécessairement semi- continue inférieurement) et $f^0(x;0) = 0$. L'épigraphe de cette fonction est
la "fermeture verticale" du cône hypertangent $H_{\text{épi } f}(x,f(x))$,
c'est-à-dire:

$$f^0(x;y) = \inf\{\beta \,|\, (y,\beta) \in H_{\text{épi } f}(x,f(x))\}. \circ \quad (4.3)$$

Puisque les dérivées de Clarke $f^0(x;y)$ correspondent au cône hypertangent, on peut établir un lien entre ces dérivées et les sous-dérivées $f^{\uparrow}(x;y)$ qui correspondent au cône tangent, en appliquant les corollaires 2J et 2K. Nous établirons ce lien un peu plus tard dans un cadre plus général, mais pour l'instant, nous voulons souligner les conclusions principales pour le cas lipschitzien.

THEOREME 4C. Les propriétés suivantes sont équivalentes:

(a) f est lipschitzienne au voisinage de x;

(b) $f^0(x;y) < \infty$ pour tout y;

(c) $f^{\uparrow}(x;y)$ prend des valeurs finies pour tout y;

(d) $\partial f(x)$ est borné et non vide.

De plus, lorsque ces propriétés sont vérifiées, alors

$$f^0(x;y) = f^{\uparrow}(x;y) = \max_{z \in \partial f(x)} y \cdot z \quad \text{pour tout } y, \quad (4.4)$$

et f est sous-différentiellement régulière si et seulement si $f'(x;y)$ existe et a la même valeur que les expressions données en (4.4). $\circ$

L'étude des dérivées $f^0(x;y)$ lorsqu'elles prennent des valeurs finies, comme c'est le cas dans le théorème 4C, conduit à une représentation de $\partial f(x)$ en termes de limites de gradients. Supposons que f est lipschitzienne au voisinage de x, et que X est un voisinage ouvert de x dans lequel la relation (4.1) est vérifiée pour une certaine valeur de μ. D'après le théorème de Rademacher, f est différentiable dans X, sauf peut-être dans un sous-ensemble de mesure zéro (c'est-à-dire un sous-ensemble qui, pour tout $\varepsilon > 0$, peut être recouvert par une famille de boules ayant un volume total inférieur à ε). Alors, en particulier, l'ensemble

$$\text{dom } \nabla f = \{x' \mid f \text{ est différentiable au point } x'\} \quad (4.5)$$

à une intersection avec X qui est un sous-ensemble dense de X. En outre, pour $x' \in X \cap \text{dom } \nabla f$, on a par la relation (4.1)

$$y \cdot \nabla f(x') = f'(x';y) = \lim_{t \downarrow 0} \frac{f(x'+ty)-f(x')}{t} \leq \mu |y|$$

et ceci implique

$$|\nabla f(x')| \leq \mu \quad \text{pour tout } x \in X \cap \text{dom } \nabla f. \quad (4.6)$$

Il s'en suit que, si f est lipschitzienne au point x, alors il existe des suites $\{x^k\}$ telles que f est différentiable au point x^k et $x^k \to x$. Pour de telles suites, la suite des gradients $\{\nabla f(x^k)\}$ est bornée et par conséquent, possède des points d'accumulation (chacun étant la limite d'une sous-suite). Le théorème suivant montre comment ces limites de gradients déterminent complètement l'ensemble $\partial f(x)$.

Ce résultat est connu depuis un certain temps pour les fonctions convexes et concaves [7], mais l'extension au cas général a été établie par Clarke [5]. En fait, Clarke utilise l'expression en question comme définition de $\partial f(x)$ lorsque f est lipschitzienne. Autour de ce point de départ, Clarke construit la théorie que nous avons décrite précédemment en procédant de façon inverse et en faisant quelques additions.

THEOREME 4D. Si f est lipschitzienne au voisinage de x, alors $\partial f(x)$ est l'enveloppe convexe de l'ensemble compact

$$\{z \mid \exists x^k \to x \text{ tel que f est différentiable au point } x^k \text{ et } \nabla f(x^k) \to z\} .$$

De plus, $\partial f(x) = -\partial(-f)(x).$ ⊗

Par la proposition 3G, cette dernière relation, appliquée au cas (d) de la proposition 4A, donne le résultat suivant:

COROLLAIRE 4E. Si f est concave et prend des valeurs finies dans un voisinage de x, alors on a

$$\partial f(x) = \{z \mid f(x') \leq f(x) + (x'-x) \cdot z \text{ pour tout } x'\}, \quad (4.7)$$

et également

$$f^\uparrow(x;y) = f^0(x;y) = -f'(x;-y) \quad \text{pour tout } y. \quad (4.8) ⊗$$

La formule (4.7) est utilisée en analyse convexe, comme
définition de l'ensemble des sous-gradients d'une fonction concave, et une fois encore, on voit que la définition donnée dans
le chapitre 3 recouvre différentes situations qui auparavant ont
été étudiées séparément. De même, lorsque f est une fonction de selle, prenant des valeurs finies dans un voisinage de
x (voir proposition 4A(e)), on peut montrer que ∂f(x) se
réduit à l'ensemble des sous-gradients utilisé en analyse convexe, plus précisément au produit des ensembles de sous-gradients définis respectivement par rapport à l'argument convexe
et par rapport à l'argument concave. (En ce qui concerne les
fonctions concaves et les fonctions de selle ne prenant pas
nécessairement des valeurs finies dans un voisinage de x, la
situation est beaucoup plus complexe et ne peut être traitée
dans le cadre de la théorie telle que nous l'avons décrite ici.
Dans ce cas, on est obligé de considérer des points où la fonction f n'est *pas* nécessairement semi-continue inférieurement.)

Notons également que, d'après le corollaire 4E et le
théorème 4C, une fonction *concave* n'est sous-différentiellement régulière au point x que si f'(x;y) = -f'(x;-y) pour
tout y et, comme nous le verrons dans un moment, ceci revient
à dire que f est différentiable au point x. Ainsi **donc**,
les fonctions concaves montrent un exemple de fonctions couver-

tes par cette théorie, même si elles ne sont ni sous-différentiellement régulières, ni des "fonctions de maximum" au sens
de la proposition 3B.

Nous pouvons maintenant décrire les relations entre les
sous-gradients et la différentiabilité.

THEOREME 4F.   Les propriétés suivantes sont équivalentes:

(a) $\partial f(x)$ est composé d'un vecteur unique,

(b) f est strictement différentiable au point x,

(c) $f^{\uparrow}(x;y) = -f^{\uparrow}(x;-y) < \infty$ pour tout y,

(d) $f^{0}(x;y) = -f^{0}(x;-y)$ pour tout y,

(e) f est lipschitzienne au voisinage de x, différen-
    tiable en x et l'application ∇f est continue au
    point x par rapport à dom ∇f.

De plus, lorsque ces propriétés sont vérifiées, on a $\partial f(x) =$
$\{\nabla f(x)\}$ et également

$$f^{\uparrow}(x;y) = f^{0}(x;y) = f'(x;y) = y \cdot \nabla f(x) \text{ pour tout y.} \circ \quad (4.9)$$

COROLLAIRE 4G.   La multi-application $x' \to \partial f(x')$ se réduit
à une application univoque dans un ensemble ouvert X si et
seulement si f est continûment différentiable dans X, auquel
cas on a:

$$\partial f(x') = \{\nabla f(x')\} \text{ pour tout } x' \in X. \circ$$

Il est indispensable que f soit strictement différentiable dans le théorème 4F (et continûment différentiable dans le corollaire 4G) comme le montre un contre-exemple; il existe une fonction lipschitzienne f dans R^1 qui, bien que presque partout différentiable, est telle que $\partial f(x') = [0,1]$ pour tout x'. Toutefois, dans la plupart des cas importants, une propriété plus puissante est cependant vérifiée.

THEOREME 4H.   Si f est lipschitzienne au voisinage de x et satisfait une des conditions (a), (b), (c), (d) ou (e) de la proposition 4A, alors la différentiabilité au point x est équivalente à la stricte différentiabilité.

De plus, pour une telle fonction, $\partial f(x')$ est univoque, (et f est strictement différentiable) pour tout x' dans un certain voisinage de x, à l'exception d'un sous-ensemble de mesure zéro. ∘

Si nous voulons tirer parti des résultats du chapitre 2 concernant l'intérieur des cônes tangents et leur relation avec les cônes hypertangents correspondants, nous devons nous tourner vers une classe plus générale de fonctions qui possèdent un comportement aussi intéressant que les fonctions lipschitziennes dans le voisinage de x, mais qui ne sont pas nécessairement continues au point x, ni même à valeurs finies dans un voisinage de x.

Nous disons que f est *lipschitzienne au point x dans la direction du vecteur y* si

$$\limsup_{\substack{x' \to_f x \\ y' \to y \\ t \downarrow 0}} \frac{f(x'+ty')-f(x')}{t} < \infty \ . \qquad (4.10)$$

Cette définition (introduite dans [9]) est motivée d'un point de vue géométrique, par le résultat suivant:

PROPOSITION 4I.   f est lipschitzienne au point x dans la direction de y si et seulement si épi f est épi-lip-schitzienne au point (x,f(x)) par rapport à (y,β) pour un quelconque β ∈ R.   En outre, les valeurs de ce β sont exacte-ment celles qui satisfont β > f↑(x;y). ⊚

Il est à noter que la direction dans laquelle l'ensem-ble épi f est épi-lipschitzien n'est pas nécessairement la "direction verticale". Cette dernière correspond, en fait, au cas où f est lipschitzienne au voisinage de x. Remar-quons également que, dans le cas général, on peut avoir des discontinuités.

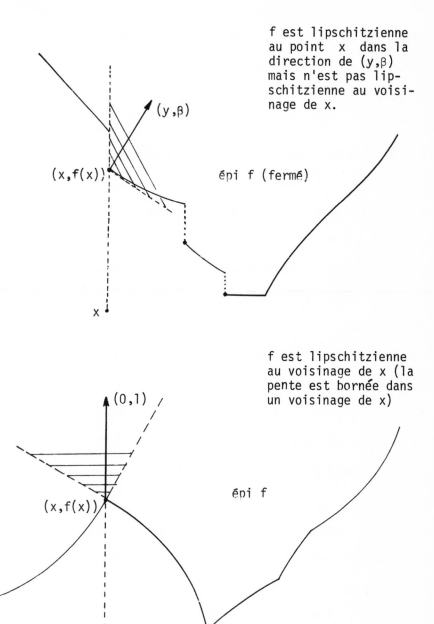

f est lipschitzienne
au point x dans la
direction de (y,β)
mais n'est pas lip-
schitzienne au voisi-
nage de x.

(y,β)

$(x,f(x))$

épi f (fermé)

x

f est lipschitzienne
au voisinage de x (la
pente est bornée dans
un voisinage de x)

$(0,1)$

épi f

$(x,f(x))$

x

Dans un certain sens, on peut dire que "être lipschit-zien" est un cas particulier de "être lipschitzien dans une direction donnée", et ceci est caractérisé par la proposition suivante:

PROPOSITION 4J.   Les propriétés suivantes sont équivalentes:
  (a) f est lipschitzienne au voisinage de x;
  (b) f est lipschitzienne au point x dans la direction
      $y = 0$;
  (c) f est lipschitzienne au point x dans n'importe
      quelle direction y. ∞

Les trois propositions qui suivent, donnent des exem-ples de fonctions qui, en général, ne sont pas seulement lip-schitziennes au voisinage de x, mais également lipschitziennes au point x dans une certaine direction y. (Pour les démons-trations, voir [9].)

PROPOSITION 4K.   Soit f une fonction convexe. Alors f est lipschitzienne au point x dans la direction y si et seulement si, pour un $\lambda > 0$, f est bornée supérieurement dans un voisinage du point $x + \lambda y$. ∞

PROPOSITION 4L. Soit f une fonction définie sur R^n, non décroissante par rapport à l'ordre partiel induit par le cône convexe K (c'est-à-dire, $f(x') \leq f(x'')$ pour tout x' et x'' tels que $x''-x' \in K$; ici, K pourrait être, en particulier, l'orthan non négatif R_+^n). Alors f est lipschitzienne dans la direction de tout y qui satisfait $-y \in$ int K. ∘

PROPOSITION 4M. Soit $f = \psi_C$, où C est un ensemble fermé contenant x. Alors, f est lipschitzienne au point x dans la direction y si et seulement si C est épi-lipschitzienne au point x par rapport à y. ∘

Nous verrons plus loin que les fonctions indicatrices qui sont lipschitziennes dans une direction peuvent s'obtenir, grâce à la proposition 4M, à partir de certains ensembles définis par des contraintes de type inégalité, où ces contraintes sont exprimées en terme de fonctions lipschitziennes.

A partir des corollaires 2J et 2K, et en utilisant les propositions 4B et 4I, on obtient le résultat central [9] concernant les fonctions lipschitziennes dans une direction.

THEOREME 4N. On peut toujours affirmer que

$$\text{int}\{y | f^\uparrow(x;y) < \infty\} = \text{int}\{y | f^0(x;y) < \infty\} \qquad (4.11)$$

$= \{y | f \text{ est lipschitzienne au point } x \text{ dans la direction } y\}.$

De plus, pour tout y dans cet ensemble, on a

$$f^{\uparrow}(x;y) \;=\; f^0(x;y) \;=\; \max_{z \in \partial f(x)} y \cdot z. \qquad (4.12)$$

Si, de plus, f est sous-différentiellement régulière au point
x, alors f'(x;y) prend la même valeur que les expressions
de (4.12).   ⊗

COROLLAIRE 4P. Si f est lipschitzienne au point x   dans
au moins une direction y, alors

$$f^{\uparrow}(x;y) \;=\; \liminf_{y' \to y} f^0(x;y') \quad \text{pour tout } y \in R^n, \qquad (4.13)$$

et par conséquent on a

$$\partial f(x) \;=\; \{z \,|\, f^0(x;y) \ge y \cdot z \quad \text{pour tout } y\}. \quad ⊗ \; (4.14)$$

Ce corollaire découle du fait qu'une fonction convexe
et semi-continue inférieurement (et en particulier sous-linéaire) est entièrement déterminée par les valeurs prises dans
l'intérieur du domaine effectif, lorsque celui-ci est non
vide.

Nous discutons ensuite comment le fait d'être lipschitzienne dans une direction se répercute sur le sous-
différentiel $\partial f(x)$.

PROPOSITION 4Q.   Soit $\partial f(x) \neq \phi$. Alors f est lipschitzienne au point x dans la direction de y si et seulement si l'ensemble

$$\arg \max_{z \in \partial f(z)} y \cdot z = \{z \in \partial f(x) \mid y \cdot z = f^{\uparrow}(x;y)\} \qquad (4.15)$$

est non vide et borné. Une telle direction y existe si et seulement si le sous-différentiel $\partial f(x)$ (convexe et fermé) ne contient aucune droite (entièrement). ⊛

Cette proposition s'obtient à partir du théorème 4N et des résultats sur la dualité en analyse convexe, appliqués à la correspondance entre $\partial f(x)$ et $f^{\uparrow}(x;.)$.

Partant de la proposition 2N qui concerne les limites des normales, on obtient un résultat similaire concernant les limites de sous-gradients.

PROPOSITION 4R.   Soit f une fonction lipschitzienne au point x dans au moins une direction y (ou encore le cas particulier d'une fonction f lipschitzienne au voisinage de x). Alors la multi-application ∂f est fermée au point x, en ce sens que

$$x^k \to_f x, \ z^k \in \partial f(x^k), \ z^k \to z \ \Rightarrow \ z \in \partial f(x). ⊛ \qquad (4.16)$$

Cette dernière propriété est également vraie partout où f est convexe, et pas nécessairement lipschitzienne dans une direction, mais peut s'avérer fausse dans certains autres cas. En effet, le contre-exemple donné en fin de chapitre 2 pour les cônes normaux peut aussi servir de contre-exemple pour ∂f: il suffit de prendre f comme fonction indicatrice de l'ensemble en question et d'appliquer la proposition 2J.

Nous allons maintenant formuler un théorème qui donne une représentation générale des sous-gradients en termes de limites. Mais cela nécessite l'introduction d'une notion élargie de limites d'une suite de points dans R^n, où les limites peuvent être atteintes "au point infini". Dans les problèmes à une dimension, on peut aisément manipuler les limites si on ajoute à la droite des nombres réels, deux points $+\infty$ et $-\infty$, qui correspondent à des directions possibles de convergence pour les suites non bornées, ce qui crée alors un espace compact. De la même façon, dans R^n, on ajoute un "point infini" dans chaque direction, ces directions étant en correspondance injective avec les points de la sphère unité. De plus, on dote cet espace prolongé d'une structure permettant de définir l'*enveloppe convexe* d'un ensemble mixte de points, certains étant finis (ceux dans R^n proprement dit) et d'autres étant infinis ("les directions").

Pour faciliter la compréhension de la situation, considérons la figure suivante:

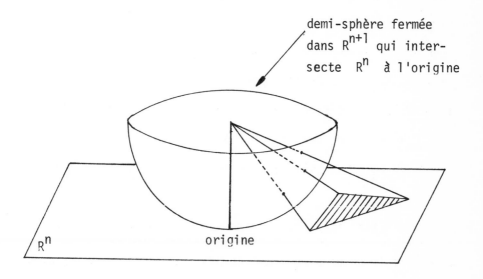

demi-sphère fermée
dans R^{n+1} qui inter-
secte R^n à l'origine

origine

R^n

Les points finis correspondent aux rayons "vers le bas" de
cette figure, tandis que les points infinis correspondent
aux rayons horizontaux. D'un point de vue topologique, cet
espace prolongé peut donc être identifié à la demi-sphère
fermée. Ceci explique le sens de la convergence et montre
que cet espace prolongé est compact: toute suite de points
finis ou infinis possède une sous-suite qui converge vers un
point fini ou infini.

Un ensemble de points (finis ou infinis) est convexe
si l'union des rayons correspondants est un ensemble convexe.
L'enveloppe convexe d'un ensemble dans l'espace prolongé

est alors le plus petit ensemble convexe (dans le sens qui
vient d'être défini) qui le contient. Par exemple, l'enveloppe d'un point fini et d'un point infini correspond à la
demi-droite dans R^n qui a comme origine le point fini et dont
la direction est spécifiée par le point infini. (Pour plus
de détails sur ce type d'enveloppe convexe, voir [7, §17].)

Nous disons que $z \in R^n$ est un *sous-gradient proximal*
de f au point x s'il existe un $X \in N(x)$ et un $\tau \geqslant 0$
tels que

$$f(x') \geq f(x) + (x'-x) \cdot z - \tau |x'-x|^2 \text{ pour tout } x' \in X. \quad (4.17)$$

Il est clair qu'un sous-gradient proximal est un semi-gradient
inférieur et de ce fait, par la proposition 3I, celui-ci est
un sous-gradient d'un type particulier.

Le résultat suivant découle de la proposition 2M, et
se réduit à cette proposition lorsque f est une fonction
indicatrice.

THEOREME 4S.   Sous la seule hypothèse que f est semi-
continue inférieure (et à valeurs finies au point x), on peut
dire que le sous-différentiel $\partial f(x)$ est composé des points
finis de l'enveloppe convexe de l'ensemble:

$\{z \text{ (fini ou infini)} | \exists\ x^k \to_f x,\ z^k \to z,\ \text{où}\ z^k \text{ (fini) est un}$
$\qquad\qquad \text{sous-gradient proximal de f au point } x^k\}. \circ \quad (4.18)$

En combinant ceci avec l'affirmation de la proposition 4R, on obtient un résultat concernant les limites des semi-gradients inférieurs.

COROLLAIRE 4T. Soit f une fonction lipschitzienne au point x dans au moins une direction y. Alors $\partial f(x)$ est composé de tous les points finis de l'enveloppe convexe de l'ensemble

$$\{z \text{ (fini ou infini)} | \exists x^k \to_f x, z^k \to z,$$

où z^k est un semi-gradient inférieur de f

au point x$\}$. ⊛

Sous les hypothèses du corollaire 4T et lorsque f est en plus, lipschitzienne au voisinage de x, les limites ne peuvent être atteintes en des points infinis, et on peut remplacer $x^k \to_f x$ par $x^k \to x$.

CHAPITRE V

POINTS STATIONNAIRES ET CALCUL SOUS-DIFFÉRENTIEL

Un des buts principaux de la théorie des sous-gradients est de faciliter et de rendre plus systématique la formulation et la dérivation des conditions d'optimalité pour diverses situations.Grâce au calcul élémentaire, le schéma à suivre est devenu familier. Presque tous les types de points extrêmes x (minimum local, maximum local, ou col) d'une fonction f différentiable sont également des points stationnaires: $\nabla f(x) = 0$. Cette observation en elle-même ne nous renseigne pas beaucoup. Mais ce qui la rend intéressante est le fait qu'il existe un système permettant de calculer $\nabla f(x)$ en fonction des dérivées d'autres fonctions et applications à partir desquelles f est construite. Les règles du type $\nabla(f_1 + f_2)(x) = \nabla f_1(x) + \nabla f_2(x)$ nous permettent, lorsque la structure particulière de f est donnée, de réduire d'une façon automatique, les conditions pour avoir un point stationnaire, à quelque chose de très spécifique.

Dans ce chapitre,   nous décrirons une notion généralisée de point stationnaire qui utilise une théorie appropriée
du calcul des sous-gradients. Cette théorie est encore en
développement mais certaines règles très puissantes sont déjà
connues. Les règles seront illustrées dans le cadre de certains problèmes classiques en optimisation.

Nous commencerons notre discussion par le cas convexe
pour lequel la théorie a été développée dans les années 60.
Ce cas présente certaines particularités très importantes qui
découlent des équivalences établies dans la proposition qui
suit, et donne lieu à de nombreuses applications dans divers
domaines.

Encore une fois, nous concentrons notre attention sur
les fonctions f semi-continues inférieurement sur R^n et sur
un point x où f prend une valeur finie.

PROPOSITION 5A.   Si f est convexe, les propriétés suivantes
sont équivalentes:

    (a) f possède un minimum global au point x;

    (b) f possède un minimum local au point x;

    (c) $f'(x;y) \geq 0$ pour tout y;

    (d) $0 \in \partial f(x)$. ⊛

Ce résultat découle de la proposition 3G, et fournit une caractérisation des sous-gradients qui sera utile plus loin lors de la comparaison avec le cas non convexe.

COROLLAIRE 5B.   Si f est convexe alors $\partial f(x) = \{z|$ la fonction $x' \to f(x')-x'\cdot z$ possède un minimum local (et par conséquent global) au point x}. ⊚

Rockafellar [13],[14] a établi une des premières règles pour le calcul des sous-gradients de fonctions non différentiables.

THEOREME 5C.   Soient f_1, f_2 des fonctions convexes semi-continues inférieurement sur R^n, à valeurs finies au point x. Si on suppose que

$$\{x'|f_1(x')<\infty\} \cap \text{int}\{x'|f_2(x')<\infty\} \neq \phi, \qquad (5.1)$$

(ce qui est vrai en particulier, si f_2 prend des valeurs finies dans un voisinage de x), alors

$$\partial(f_1+f_2)(x) = \partial f_1(x) + \partial f_2(x). ⊚ \qquad (5.2)$$

Ici, bien sûr, $\partial f_1(x)$ et $\partial f_2(x)$ sont des ensembles convexes fermés, et nous avons utilisé la notation:

$$C_1+C_2 = \{z_1+z_2|z_1 \in C_1, z_2 \in C_2\}.$$

La somme de deux ensembles convexes fermés dans R^n est toujours convexe mais peut ne pas être fermée lorsque les deux
ensembles sont non bornés. Cependant, la somme du théorème
5C est un ensemble fermé puisque le membre de gauche de la
relation (5.2) représente un sous-différentiel (fermé
par définition).

Grâce à la convexité de f_1 et f_2, la relation (5.1)
peut également s'écrire:

$$\{y \mid f_1'(x;y) < \infty\} \cap \text{int}\{y \mid f_2'(x;y) < \infty\} \neq \phi. \qquad (5.3)$$

Cette relation est la clé qui ouvre la porte à la généralisation au cas non convexe que nous présenterons plus loin. Il
est évident que les rôles de f_1 et f_2 peuvent être inversés.
Le fait à souligner est que l'intérieur de l'ensemble n'est
considéré que pour une des deux fonctions. (Une version du
théorème 5C en termes d' "intérieur relatif" peut être énon-
cée - voir [7, §16] - mais celle-ci ne permet pas de généralisation et s'avère fausse pour les espaces de dimension infinie même lorsque les fonctions sont convexes.)

Pour illustrer l'utilisation de cette règle, considérons le problème qui consiste à minimiser f_0 sur D, où f_0
est une fonction convexe, semi-continue inférieurement sur
R^n, et D est un sous-ensemble de R^n, convexe, fermé, et contenant au moins un point en lequel f_0 prend une valeur

finie. Ce problème revient à minimiser la fonction convexe
$f = f_0 + \psi_D$ sur tout l'espace R^n (ou ψ_D est la fonction indicatrice de D, donnée par (1.16)). Une condition nécessaire
et suffisante pour que x soit une solution (localement ou
globalement) est par conséquent, que $0 \in \partial f(x)$. Le théorème 5C peut s'appliquer si

$$\{x' \mid f_0(x') < \infty\} \cap \text{int } D \neq \phi \quad \text{ou} \quad D \cap \text{int}\{x' \mid f_0(x) < \infty\} \neq \phi. \quad (5.4)$$

Si ceci est vrai alors, pour tout $x \in D$ en lequel f_0 prend
une valeur finie, on a

$$\partial f(x) = \partial f_0(x) + \partial \psi_D(x) = f_0(x) + N_D(x),$$

et par conséquent

$$0 \in \partial f(x) \Leftrightarrow -\partial f_0(x) \cap N_D(x) \neq \phi ,$$

$$\Leftrightarrow \text{il existe un sous-gradient}$$
$$z \in \partial f_0(x) \text{ tel que } -z \text{ est}$$
$$\text{un vecteur normal à D au}$$
$$\text{point x.} \quad (5.5)$$

En particulier, si ∂f_0 est une fonction convexe différentiable sur R^n, telle que ∇f_0 se réduit à l'application
f_0 (voir théorèmes 4H et 4F), alors on a:

$$x \text{ minimise } f_0 \text{ sur D} \Leftrightarrow -\partial f_0(x) \in N_D(x). \quad (5.6)$$

Notons que lorsque $x \in$ int D, alors $N_D(x) = \{0\}$ (puisque $T_D(x)$ coïncide avec R^n), et qu'ainsi la condition se réduit à $\nabla f_o(x) = 0$, c'est-à-dire à la condition pour avoir un minimum sans contraintes d'une fonction convexe.

Puisque D est un ensemble convexe, on a

$$z \in N_D(x) \quad \Leftrightarrow \quad (x'-x) \cdot z \leq 0 \quad \text{pour tout } x' \in D \qquad (5.7)$$

(voir proposition 2G). La condition dans (5.6) peut alors s'écrire

$$(x'-x) \cdot \nabla f_o(x) \geq 0 \quad \text{pour tout } x' \in D. \qquad (5.8)$$

Cette relation est connue sous le nom d'*inéquation variationnelle* de l'application ∇f_o et de l'ensemble convexe D (le point x étant un élément de D). Si f_o est une fonction convexe quadratique, soit

$$f_o(x) = \frac{1}{2}x \cdot Qx + q \cdot x + c$$

où Q est une matrice symétrique et positive semi-définie, alors la condition s'écrit

$$(x'-x) \cdot Qx + (x'-x) \cdot q \geq 0 \quad \text{pour tout } x' \in D.$$

Ce type de condition s'est avéré très utile en particulier dans l'étude de problèmes variationnels impliquant des équations aux dérivées partielles (voir entre autres les travaux de J.L. Lions et de F.E. Browder). Dans ce contexte, R^n est remplacé par un espace de Banach, et Q devient un opérateur différentiel, ou un autre opérateur du même genre. (Les opérateurs les plus intéressants sont souvent des applications gradients associées à certaines fonctionnelles convexes.)

Les inéquations variationnelles (5.8) ont également fait l'objet d'études lorsque ∇f_0 est remplacée par une application plus générale, qui n'est pas nécessairement le gradient de quelque chose, ou encore par une multi-application de type général (application multivoque). Pour une multi-application A_0, la condition prend la forme suivante:

$$\exists z \in A_0(x) \text{ tel que } (x'-x) \cdot z \geq 0 \text{ pour tout } x' \in D, \quad (5.9)$$

ou encore

$$0 \in A(x), \text{ où } A = A_0 + \partial \psi_D. \quad (5.10)$$

On obtient un cas spécialement important lorsque A_0 est "monotone" dans un sens particulier qui sera expliqué au chapitre 7.

Lorsque la structure de D est donnée, la condition d'optimalité (5.6) peut être décrite plus spécifiquement, en se servant encore une fois du théorème 5C. Soit

$$D = \{x' \in C \mid f_1(x') \leq 0, \ldots, f_m(x') \leq 0\} \quad (5.11)$$

où les fonctions f_i sont convexes et à valeurs finies (donc continues partout) et C est un ensemble convexe fermé. Alors

$$\psi_D = \psi_C + \psi_{D_1} + \ldots + \psi_{D_m} \quad (5.12)$$

où

$$D_i = \{x' \epsilon R^n \mid f_i(x') \leq 0\}. \text{ (convexe fermé)} \qquad (5.13)$$

Supposons que l'hypothèse de régularité de Slater est vérifiée, c'est-à-dire

$$\exists \tilde{x} \epsilon C \text{ tel que } f_1(\tilde{x}) < 0, \ldots, f_m(\tilde{x}) < 0. \qquad (5.14)$$

De ce fait, on a

$$C \cap \text{int } D_1 \cap \ldots \cap \text{int } D_m \neq \phi,$$

et par conséquent, on peut appliquer le théorème 5C de façon inductive à (5.12) et ainsi obtenir

$$\partial \psi_D(x) = \partial \psi_C(x) + \partial \psi_{D_1}(x) + \ldots + \partial \psi_{D_m}(x),$$

ce qui est équivalent à

$$N_D(x) = N_C(x) + N_{D_1}(x) + \ldots + N_{D_m}(x). \qquad (5.15)$$

Si de plus, chaque f_i est différentiable, on peut facilement vérifier que

$$N_{D_i}(x) = \begin{cases} \{0\} & \text{si } f_i(x) < 0, \\ \{\lambda_i \nabla f_i(x) \mid \lambda_i \geq 0\} & \text{si } f_i(x) = 0. \end{cases} \qquad (5.16)$$

Pour ce faire, on utilise le fait que $\nabla f_i(x) \neq 0$ si $f_i(x) = 0$, ce qui découle de la convexité de f_i et de l'hypothèse (5.14).

En mettant ensemble les relations (5.6), (5.15) et (5.16), on obtient un théorème bien connu en programmation convexe (le théorème de Kuhn-Tucker): si les fonctions con-

vexes $f_0, f_1, \ldots, f_m$ sont différentiables et si l'hypothèse
de régularité de Slater (5.14) est vérifiée, alors une condition nécessaire et suffisante pour que x soit le minimum de
f_0 sur l'ensemble (5.11) est qu'il existe des multiplicateurs
$\lambda_i \geq 0$, $i=1, \ldots, m$ (avec $\lambda_i = 0$ si $f_i(x) < 0$) tels que

$$-\nabla f_0(x) \in N_C(x) + \lambda_1 \nabla f_1(x) + \ldots + \lambda_m \nabla f_m(x). \qquad (5.17)$$

Notons que la condition d'optimalité peut également
s'écrire

$$-\nabla(f_0 + \lambda_1 f_1 + \ldots + \lambda_m f_m)(x) \in N_C(x) \qquad (5.18)$$

et par (5.6), ceci est équivalent à

x minimise la fonction convexe $f_0 + \lambda_1 f_1 + \ldots + \lambda_m f_m$

sur l'ensemble C. $\qquad (5.19)$

Dans l'article de Kuhn-Tucker (1951), C'était l'orthan non
négatif R^n_+. Si les fonctions f_i ne sont pas différentiables (mais seulement convexes et à valeurs finies) les conditions que l'on obtient sont sensiblement les mêmes, sauf
en ce qui concerne $\nabla f_i(x)$ qui doit être remplacé par $\partial f_i(x)$
(voir (5.5) au lieu de (5.6)).

On peut trouver de nombreuses applications au théorème
5C en plus de celle que nous venons de décrire et qui fait
référence au théorème de Kuhn-Tucker. Ces applications montrent combien il est encourageant de "calculer" les conditions

suivant le schéma classique, en se servant de fonctions qui ne sont pas différentiables ni même partout à valeurs finies.

Si on étend l'approche mentionnée au cas non convexe, il est peu probable de retrouver les équivalences de la proposition 5A ou encore d'obtenir, sans grand effort additionnel, des conditions d'optimalité qui soient, à la fois, suffisantes et nécessaires. Lorsqu'on traite les fonctions différentiables non convexes, les modifications qui s'en suivent sont bien connues et celles-ci sont encore plus grandes lorsqu'on remplace la différentiabilité par la sous-différentiabilité. Par exemple, l'égalité (5.2) du théorème 5C devient en général une simple inclusion, et celle-ci est dans le sens qu'il faut pour déduire des conditions nécessaires d'optimalité. On peut supposer que les conditions suffisantes devraient découler d'une théorie du second ordre pour la sous-différentiation, mais une telle théorie n'en est encore qu'à un stade de développement rudimentaire.

Sans différentiabilité ou convexité, on ne peut se reporter aux concepts classiques de point stationnaire ou de point extrême local ou global. Il nous faut donc considérer un concept plus général. La première idée qui vient en tête est de définir, pour une fonction f, un point x *semi-station-naire inférieurement* par

$$f(x') \geq f(x) + O(|x'-x|) \quad \text{pour tout } x'. \qquad (5.20)$$

(Cette condition dit que le vecteur 0 est un semi-gradient inférieur de f au point x). De façon similaire, on peut parler de point *semi-stationnaire* supérieurement. L'intersection de ces deux classes de points est constituée des points stationnaires au sens habituel. Mais cette généralisation est peu satisfaisante tout comme l'étaient les notions de semi-gradients inférieur et supérieur: le "calcul" qui s'y rattache est en effet trop faible. De plus, cette généralisation ne couvre pas certains points extrêmes mixtes que nous aimerions pouvoir traiter (et qui ne peuvent l'être en analyse convexe sans la présence de la différentiabilité) tels que les cols de type minimax.

La généralisation qui s'avère adéquate dans ce contexte peut se décrire en termes de "direction de descente" par rapport à une fonction f semi-continue inférieurement et un point x où f prend une valeur finie. On dira que y est une *direction de descente uniforme* au point x si pour un certain $\rho > 0$

$\exists X \in N(x), \delta > 0, \lambda > 0$ tels que pour tout $t \in (0,\lambda)$
et pour tout $x' \in X$ avec $f(x') \leq f(x)+\delta$, on a
$f(x'+ty) \leq f(x') - t\rho.$ \hfill (5.21)

De façon plus générale, on dira que y est une *direction de descente approximativement uniforme* au point x si, pour un certain $\rho > 0$, pour chaque $Y \in N(y)$, $\exists X \in N(x)$, $\delta > 0$, $\lambda > 0$

tels que pour tout $t \in (0,\lambda)$ et pour tout $x' \in X$

avec $f(x') \leq f(x)+\delta$, on a

$$\inf_{y' \in Y} f(x'+ty') \leq f(x')-t\rho. \qquad\qquad (5.22)$$

On peut voir facilement que la première définition correspond à la propriété $f^0(x;y) < 0$ tandis que la seconde correspond à $f^\uparrow(x;y) < 0$.

On dira que x est un point *sous-stationnaire* de f s'il n'existe aucune direction de descente approximativement uniforme y au point x.

PROPOSITION 5D. Si x est un point semi-stationnaire in-férieurement de f (et en particulier si x est un minimum local de f), alors x est un point sous-stationnaire de f.

Si f est lipschitzienne dans un voisinage de x, alors toute direction de descente approximativement uniforme est en fait une direction de descente uniforme. Dans ce cas, on peut également dire que si x est un point semi-stationnaire in-férieurement de f (et en particulier si x est un maximum local de f), alors x est un point sous-stationnaire de f. ∘

La première partie de la proposition est triviale par le fait que (5.22) implique l'existence des suites $y^k \to y$,

$x^k \to_f x$, $t_k \downarrow 0$, telles que

$$f(x^k + t_k y^k) \leq f(x^k) - \rho t_k \quad \text{pour tout } k.$$

Et ceci est impossible si la relation (5.20) est vérifiée. La seconde partie de la proposition vient de l'égalité entre $f^0(x;y)$ et $f^\uparrow(x;y)$ dans le cas lipschitzien (théorème 4C). Il est clair que x ne peut être un maximum local si la relation (5.21) est vérifiée pour un certain y et un certain $\rho > 0$.

La proposition 5D implique que la classe des points stationnaires comprend, outre tous les points stationnaires (ou semi-stationnaires), tous les minima locaux ainsi qu'une classe importante de maxima locaux (en fait, pour pouvoir affirmer cela, il serait suffisant de supposer que f est lipschitzienne dans une direction au point x, c'est-à-dire par rapport à au moins un y, voir 5E). De plus, cette classe comprend les cols; soit $x = (x_1, x_2) \in R^n = R^{n_1} \times R^{n_2}$ et supposons qu'il existe des voisinages $X_1 \in N(x_1)$, $X_2 \in N(x_2)$ tels que f est lipschitzienne sur $X_1 \times X_2$ et satisfait la relation

$$f(x_1', x_2) \geq f(x_1, x_2) \geq f(x_1, x_2') \quad \text{pour tout } x_1' \in X_1, \, x_2' \in X_2.$$

$$(5.23)$$

Alors, de nouveau, on a que x est un point sous-stationnaire, car s'il en était autrement, par la proposition 5D, il existerait une direction de descente uniforme $y = (y_1, y_2)$. Pour cette direction, on aurait pour tout $t > 0$ suffisamment petit

$$f(x_1-ty_1,x_2) \leq f(x_1,x_2+ty_2)-t\rho < f(x_1,x_2+ty_2)$$

ce qui est en contradiction avec (5.23).

PROPOSITION 5E.   Les propriétés suivantes sont équivalentes:

(a) x est un point sous-stationnaire de f;

(b) $f^\uparrow(x;y) \geq 0$ pour tout y;

(c) $0 \in \partial f(x)$;

(d) (en supposant que f est lipschitzienne dans une
     direction au point x) il n'existe aucune direction
     de descente uniforme au point x. ⊛

L'équivalence entre (a) et (b) découle des définitions,
et il en est de même pour l'équivalence avec (c) (voir la
relation (3.19)). Du corollaire 4P, on peut déduire l'équivalence entre (b) et (d).

Parallèlement au corollaire 5B, on peut dans le cas
général, interpréter les sous-gradients de la manière suivante:

COROLLAIRE 5F.   Si f est une fonction semi-continue inférieurement prenant une valeur fixe au point x, alors

$\partial f(x) = \{z|$la fonction $x' \to f(x')-x'\cdot z$ possède
un point sous-stationnaire en x}. ⊛

Notons au passage que, puisque la définition (5.22) est équivalente à $f^\uparrow(x;y) < 0$, on peut reformuler, dans le théorème 3F, la condition pour que f soit "sous-différentiable" en x de la façon suivante: *∂f(x) ≠ φ si et seulement si le vecteur nul n'est pas une direction de descente approximativement uniforme au point x.*

On pourrait dire que x est un point sous-stationnaire d'une fonction f_0 par rapport à un ensemble D si x est un point sous-stationnaire de $f = f_0 + \psi_D$. Quoi qu'il en soit, si on veut analyser la condition pour qu'un point soit sous-stationnaire, que nous savons pouvoir écrire $0 \in \partial f(x)$, nous aurons besoin de résultats similaires à ceux du théorème 5C. Nous présentons maintenant un nouveau résultat de ce type. (Celui-ci est démontré dans un article de Rockafellar qui va paraître [15], dans un contexte plus général où les fonctions ne sont pas semi-continues inférieurement et ou l'espace peut être de dimension infinie.)

THEOREME 5G.   Soient f_1 et f_2 des fonctions semi-continues inférieurement sur R^n à valeurs finies au point x. Supposons que

$$\{y \mid f_1^\uparrow(x;y) < \infty\} \cap \text{int}\{y \mid f_2^\uparrow(x;y) < \infty\} \neq \phi \qquad (5.24)$$

(ce qui est vrai en particulier si f_2 est lipschitzienne dans un voisinage de x). Alors

$$\partial(f_1+f_2)(x) \subset \partial f_1(x) + \partial f_2(x) \quad \text{(ensemble fermé).} \quad (5.25)$$

Si de plus, f_1 et f_2 sont toutes deux sous-différentiellement régulières au point x, alors f_1+f_2 est également sous-différentiellement régulière au point x et on peut remplacer l'inclusion par une égalité dans (5.25). ∘

Les résultats des chapitres 3 et 4 peuvent nous permettre d'exprimer la condition essentielle (5.24) sous une autre forme. Notons en particulier que, par la proposition 3G, la relation (5.24) se reduit à (5.23) lorsque f_1 et f_2 sont convexes (et dans ce cas (5.3) est équivalent à (5.1), comme on l'a déjà fait remarquer). De plus, les fonctions convexes sont toujours sous-différentiellement régulières. Par conséquent, *le théorème 5C est un corollaire du théorème 5G.*

Le théorème 5G couvre également un autre cas, traité par Clarke [16], où f_1 et f_2 sont *toutes deux* lipschitziennes dans un voisinage de x. Par un calcul simple et direct, on obtient

$$(f_1+f_2)^0(x;y) \leq f_1^0(x;y) + f_2^0(x;y) \quad \text{pour tout } y$$

(et ce parce que les dérivées généralisées de Clarke sont exprimées en fonction d'une "lim sup" seulement) et cette relation est équivalente, par le théorème 4C, à l'inclusion

(5.25). En ce qui concerne les fonctions qui ne sont pas

lipschitziennes au voisinage de x, la preuve ne peut se faire

aussi simplement, puisque les sous-dérivées $(f_1+f_2)^\uparrow(x;y)$ sont

données en termes de "lim sup inf" pour lesquelles ce type

d'inégalité élémentaire n'est pas vraie. Mais la condition

(5.24) implique que f_2 est lipschitzienne dans un ensemble

de directions, juste assez grand pour nous permettre d'écrire

quelque chose qui ressemble à l'inégalité en question. Pour

faire cela, le théorème 4N et la proposition 4I sont détermi-

nants. (Dans le cas d'un espace de dimension infinie, en

plus de la condition (5.24) on doit faire l'hypothèse que f_2

est lipschitzienne dans au moins une direction y. Cette hy-

pothèse est une généralisation de la condition que l'on doit

ajouter dans le cas convexe, soit que f_2 est bornée supéri-

eurement sur un quelconque ensemble ouvert et non vide.)

Incidemment, la régularité sous-différentielle est seu-

lement une hypothèse commode, mais pas du tout *nécessaire*

pour que l'égalité soit vérifiée dans la relation (5.25).

Par exemple, si f_1 et f_2 sont des fonctions *concaves* à

valeurs finies, on a également $\partial(f_1+f_2)(x) = \partial f_1(x)+\partial f_2(x)$.

En effet, dans ce cas, par le corollaire 4E, on a $\partial f_i(x) =$

$-\partial(-f_i)(x)$ et par conséquent l'égalité découle du théorème

5C. Mais une fonction concave n'est pas sous-différentiellement régulière en un point où elle n'est pas différentiable.

Un autre cas pour lequel on sait que l'égalité est vérifiée dans (5.25) sans que les fonctions f_1 et f_2 soient
sous-différentiellement régulières est celui des fonctions
de selle (voir L.McLinden [17]). Il semble cependant difficile
de formuler une condition simple qui engloberait tous ces cas.

Un exemple où l'inclusion est stricte dans (5.25) est
donnée par les fonctions

$$f_1(x) = |x| \quad \text{(norme euclidienne dans } R^n)$$
$$f_2(x) = -|x|.$$

Ces fonctions sont concaves, convexes et lipschitziennes.
Elles sont différentiables partout, sauf à l'origine où on a

$$\partial f_1(0) = B \quad \text{(boule unité fermée)}$$
$$\partial f_2(0) = -B = B.$$

Puisque $f_1 + f_2 \equiv 0$, on a

$$\partial(f_1 + f_2)(0) = \{0\},$$

et également

$$\partial f_1(0) + \partial f_2(0) = B + B = 2B.$$

Par conséquent $\partial(f_1+f_2)(0) \neq \partial f_1(0)+\partial f_2(0)$. Notons cependant que ces fonctions possèdent toutes deux des dérivées
directionnelles unilatérales à l'origine et que

$$(f_1+f_2)'(0;y) = f_1'(0;y) + f_2'(0;y) \quad \text{pour tout y.}$$

Ce genre d'anomalies, où les dérivées directionnelles s'annu-
lent sans qu'il en soit de même pour les sous-différentiels,
est responsable de la plupart des inclusions qui vont apparaî-
tre dans la suite, alors que ce sont des égalités que nous
aimerions voir.

Le résultat suivant illustre le potentiel d'interprétation géométrique du théorème 5G.

COROLLAIRE 5H.   Soient C_1 et C_2 des ensembles fermés dans
R^n, et x un point de $C_1 \cap C_2$ tel que

$$T_{C_1}(x) \cap \text{int } T_{C_2} \neq \phi. \qquad (5.26)$$

Alors

$$N_{C_1 \cap C_2}(x) \subset N_{C_1}(x) + N_{C_2}(x) \quad \text{(ensemble fermé)}. \qquad (5.27)$$

De plus, si C_1 et C_2 sont également tangentiellement réguliers
au point x, alors il en est de même pour $C_1 \cap C_2$, et l'égalité est vérifiée dans (5.27). ∘

Ce résultat est obtenu en appliquant le théorème 5G
aux fonctions indicatrices $\psi_{C_1} + \psi_{C_2}$. Lorsque C_1 et C_2 sont
convexes, la condition (5.26) est équivalente à $C_1 \cap \text{int } C_2$
$\neq \phi$. Dans ce cas, l'égalité est vérifiée dans (5.27) puisque les ensembles convexes sont toujours tangentiellement
réguliers (voir théorème 2F).

Comme application du corollaire 5H, le cas des ensembles de niveau d'une fonction à une importance particulière. Un résultat concernant les cônes normaux aux ensembles de niveau s'insère bien à ce stade de l'exposé du fait qu'il présente un certain intérêt du point de vue technique, puisqu'il semble être une conséquence du corollaire 5H (appliqué à deux ensembles de l'épigraphe).

PROPOSITION 5I. Soient un ensemble $C = \{x' \mid f(x') \leq 0\}$ et un point $x \in C$ tel que $f(x) = 0$. Si f est lipschitzienne dans un voisinage de x et si $0 \notin \partial f(x)$ (c'est-à-dire x n'est pas un point sous-stationnaire), alors

$$N_C(x) \subset \{\lambda z \mid \lambda \geq 0,\ z \in \partial f(x)\} \quad \text{(ensemble fermé).} \quad (5.28)$$

Si f est sous-différentiellement régulière au point x, alors C est tangentiellement régulier au point x, et l'égalité est vérifiée dans (5.28). ∘

L'égalité est également vérifiée dans (5.28) lorsque f est convexe ou lorsque f est continûment différentiable dans un voisinage de x. Dans le dernier cas, $\partial f(x)$ se réduit au seul vecteur $\nabla f(x) \neq 0$ (voir corollaire 4G).

On pourrait appliquer la proposition 5I et le corollaire 5H de façon inductive pour obtenir un résultat concernant les inégalités multiples, c'est-à-dire lorsque

$$C = \{x' | f_1(x') \leq 0, \ldots, f_m(x') \leq 0\}.$$

Une démarche semblable a été suivie au début de cette section lorsque le cas convexe a été analysé. Il existe cependant une approche plus efficace qui consiste à représenter le même ensemble au moyen d'une simple inégalité $f(x') \leq 0$ avec $f = \max\{f_1, \ldots, f_m\}$. Cette approche nous permet d'analyser les systèmes avec une infinité d'inégalités sans pour cela avoir recours à l'analyse en dimension infinie. Pour le moment, nous nous contenterons d'énoncer les résultats analogues à ceux deja établis pour les "fonctions de maximum". (Les fonctions qui ne sont pas nécessairement continûment différentiables mais seulement localement lipschitziennes seront considérées en fin de chapître.)

COROLLAIRE 5J. Soit un ensemble

$$C = \{x' | \varphi_w(x') \leq 0 \text{ pour tout } w \in W\}, \qquad (5.29)$$

où l'ensemble des indices W est un espace compact (muni d'une topologie de Hausdorff), φ_w est différentiable. $\varphi_w(x')$ et $\nabla\varphi_w(x')$ sont continues en (w, x'). Soient un point $x \in C$ et l'ensemble des indices des contraintes actives en ce point:

$$M(x) = \{w \in W | \varphi_w(x) = 0\}. \qquad (5.30)$$

Si on suppose qu'il existe un vecteur y tel que

$$y \cdot \nabla\varphi_w(x) < 0 \text{ pour tout } w \in M(x), \qquad (5.31)$$

alors

$$N_C(x) = \text{cône convexe déterminé par 0}$$
et les vecteurs $\nabla\varphi_w(x)$ pour
$w \in M(x)$.   *(5.32)*

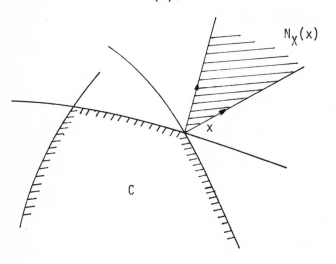

Pour démontrer ce corollaire, on prend

$$f = \max_{w \in W} \varphi_w,$$

comme on l'a déjà fait dans les propositions 3B et 3H. Si $f(x) < 0$, on a $x \in \text{int } C$ et de ce fait $N_C(x) = \{0\}$, ce qui est en accord avec (5.32). Par contre si $f(x) = 0$, alors l'ensemble $M(x)$ défini en (5.30) est le même que celui considéré dans les propositions 3B et 3H. De plus, dans ce cas f est sous-différentiellement régulière (voir proposition 3I) et par conséquent on a les résultats de la proposition 5I avec l'égalité dans (5.28). La condition $0 \notin \partial f(x)$

est équivalente à la condition d'existence d'un vecteur y qui satisfait $f^{\uparrow}(x;y) < 0$, or celle-ci peut, par l'intermédiaire de la proposition 3I, s'exprimer sous la forme de la relation (5.31).

Les implications de ces résultats sur les conditions d'optimalité sont évidentes.

THEOREME 5K. Soient f_0 une fonction semi-continue inférieurement sur R^n et D un sous-ensemble fermé de R^n. Supposons que f_0 possède au point x, un minimum local fini par rapport à D. Supposons qu'une des conditions suivantes est vérifiée:

(a) $\{y \,|\, f_0^{\uparrow}(x;y) < \infty\} \cap$ int $T_D(x) \neq \phi$,

(b) $T_D(x) \cap$ int$\{y \,|\, f_0^{\uparrow}(x;y) < \infty\} \neq \phi$ (ce qui est vrai si f_0 est lipschitzienne dans un voisinage de x),

alors

$$-\partial f_0(x) \cap N_D(x) \neq \phi . \quad \circ$$

La démonstration découle directement du théorème 5G: la fonction $f_0 + \psi_D$ possède un minimum local au point x, donc x est un point sous-stationnaire (voir proposition 5D) et par conséquent

$$0 \in \partial(f_0 + \psi_D)(x) \subset \partial f_0(x) + \partial \psi_D(x) = \partial f_0(x) + N_D(x). \quad (5.33)$$

Les conditions (a) et (b) correspondent aux possibilités suivantes: $f_1 = f_0$ et $f_2 = \psi_D$, ou $f_1 = \psi_D$ et $f_2 = f_0$.

On peut considérer que la conclusion du théorème 5K représente une *inéquation variationnelle généralisée*. Si D est convexe, on obtient l'inéquation variationnelle classique (5.9) (ou la multi-application ∂f_0 remplace A_0). De telles inéquations n'ont pas encore été formulées, mais leur utilité semble évidente, et il est certain qu'une généralisation de la théorie existante des inéquations variationnelles donnera des résultats très intéressants. (Pour la version en dimension infinie du théorème 5K voir [15, théorème 6].)

L'inéquation variationnelle généralisée n'est, bien sûr, pas due à l'existence d'un "minimum local". En fait, la minimisation joue un rôle secondaire dans la démonstration du théorème 5K; elle implique seulement que x est un point sous-stationnaire de $f_0 + \psi_D$. Et tout point stationnaire doit satisfaire la même condition. Si f_0 est sous-différentiellement régulière au point x, et si D est tangentiellement régulière au point x, alors satisfaire l'inéquation variationnelle généralisée est équivalent à exiger la sous-stationnarité de $f_0 + \psi_D$.

Tout comme dans le cas convexe, la condition peut être développée lorsque D possède une structure particulière. Supposons par exemple, que D est égal à l'ensemble C du

corollaire 5J et également que f_0 est continûment différentiable dans un voisinage de x. (Donc la condition (b) du théorème 5K est vérifiée.) Alors il existe des multiplicateurs
$\lambda_W \geq 0$ tels que $\lambda_W > 0$ pour au plus un nombre fini d'indices
w qui sont tous dans l'ensemble $M(x)$, et tels que

$$0 = \nabla f_0(x) + \sum_{w \in W} \lambda_w \nabla \varphi_w(x). \qquad (5.34)$$

Un autre cas que l'on peut traiter est celui où D est
une variété différentiable représentée par un nombre fini de
contraintes de type égalité (voir proposition 2C, théorème 2F
et les remarques qui suivant la proposition 2G). On obtient
alors une règle du même type que la précédente, c'est-à-dire

$$0 = \nabla f_0(x) + \sum_{i=1}^{m} \mu_i \nabla g_i(x), \qquad (5.35)$$

où μ_i est un nombre réel quelconque. On reconnaît ici le
théorème classique des multiplicateurs de Lagrange. Une règle
semblable peut également être établie pour le cas où il y a
des contraintes de type inégalité et des contraintes de type
égalité.

Il est toutefois plus intéressant de s'interroger sur
le genre de condition que l'on peut établir lorsque les fonctions en cause ne sont *pas* nécessairement différentiables. Le
résultat suivant, établi par Clarke [18], traite un aspect
de cette question.

THEOREME 5L.   Soit

$$f(x') = \max_{w \in W} \varphi_w(x') \quad \text{pour tout } x',$$

où W est un espace compact, chaque φ_w est localement lipschitzienne sur R^n, et

la fonction $w \to \varphi_w(x')$ est semi-continue inférieurement *(5.36)*

la multi-application $(w,x') \to \partial\varphi_w(x')$ est localement
           bornée et possède un graphe fermé.   *(5.37)*

Soit un ensemble $M(x) = \{w \in W | \varphi_w(x) = f(x)\}$ associé à
chaque point x. Alors

$\partial f(x) \subset$ enveloppe convexe de $\{\partial\varphi_w(x) | w \in M(x)\}$.   *(5.38)*

De plus, si les fonctions φ_w sont sous-différentiellement
régulières au point x, alors f l'est aussi et l'égalité est
vérifiée dans (5.38). ⊛

    Lorsque φ_w est continûment différentiable, le théorème
5L se ramène au théorème de Danskin (3B, voir également théorème 3H). On peut donc s'en servir pour étendre le corollaire
5J au cas de fonctions localement lipschitziennes. (Alors
les gradients $\nabla\varphi_w(x)$ sont remplacés par les sous-gradients
$z_w \in \partial\varphi_w(x)$. De plus, (5.32) n'est plus une égalité mais
une inclusion, sauf si chaque φ_w est sous-différentiellement

régulière au point x·). De cette façon, on obtient une extension de la règle des multiplicateurs au cas des contraintes de
type inégalité (voir (5.34)).

Les hypothèses (5.36) et (5.37) sont superflues dans le
cas où W est un ensemble fini d'indices et est muni de la
topologie discrète. En général, le fait d'exiger que la multi-
application possède un graphe fermé (hypothèse (5.37)) est une
restriction gênante. Par exemple si

$$\varphi_W(x') = g(x',w), \text{ où g est localement}$$
$$\text{lipschitzienne sur } R^n \times R^n, \qquad (5.39)$$

alors $\partial\varphi_W(x')$ représente un ensemble de "sous-gradients partiels" de g. (Celui-ci est toujours contenu dans la projection de $\partial g(x',w)$ par rapport à l'argument considéré, mais
ne lui est pas nécessairement égal; voir corollaire 5N.) Dans
ce cas, l'hypothèse (5.37) a peu de chances d'être satisfaite.

On rencontre la même difficulté lorsque

$$\varphi_W(x') = \min_{u \in U} \theta_{w,u}(x'),$$

c'est-à-dire dans l'analyse des fonctions de la forme

$$f(x') = \max_{w \in W} \min_{u \in U} \theta_{w,u}(x'). \qquad (5.40)$$

Or c'est ce type de fonction que nous avons rencontré dans le
modèle avec "tolérances" du chapitre 1 (voir (1.11)).

Au chapitre VIII de la thèse de Hiriart-Urruty [19], on retrouve certains résultats qui sont particulièrement utiles dans les cas décrits plus haut.

En ce qui concerne les problèmes avec contraintes de type *égalité*, localement lipschitziennes, on ne peut, à partir du théorème 5L, déduire aucun resultat qui soit analogue à ceux du corollaire 5J. Toutefois, Clarke [16] a énoncé une règle des multiplicateurs pour ce type de contraintes et récemment, Hiriart-Urruty [10] y a apporté certaines améliorations. Des techniques auxiliaires sont nécessaires pour établir une telle règle; Clarke utilise le principe variationnel de Skeland (voir chapitre 7), tandis qu'Hiriart-Urruty a recours à une généralisation du théorème des fonctions implicites (voir théorème 5S).

Nous énonçons maintenant certains autres résultats du calcul sous-différentiel, notamment des "règles en chaîne".

THEOREME 5M.   Soit $f = g \circ F$ où g est une fonction semi-continue inférieurement sur R^m et F une application continûment différentiable de R^n dans R^m. Soit un point $x \in R^n$ tel que g prend une valeur finie en $F(x)$ et tel que le Jacobien J de F au point x satisfait

$$(\text{image } J) \cap \text{int}\{v \mid g^\uparrow(F(x);v) < \infty\} \neq \phi \qquad (5.41)$$

(ce qui est vrai notamment si g est lipschitzienne dans un voisinage de F(x)). Alors

$$\partial f(x) \ \subset \ \{J^T w | w \in \partial g(F(x))\} \qquad (5.42)$$

(où J^T est la transposée de J). De plus, si g est sous-différentiellement régulière au point F(x), alors f est sous-différentiellement régulière au point x et l'égalité est vérifiée en (5.42). ◦

La condition (5.41) ressemble étrangement à l'hypothèse du théorème 5G, et de fait, le théorème 5M peut s'interpréter comme un corollaire de ce résultat (voir Rockafellar [15]). En fait, F ne doit pas nécessairement être continûment différentiable;la *stricte* différentiabilité au point x suffit.

En appliquant le théorème 5M à la fonction indicatrice ψ_C, on obtient une règle pour les vecteurs normaux. Une autre application de ce théorème concerne le calcul des "sous-gradients partiels". Dans ce cas, on prend

$$f(x) \ = \ g(x,\xi) \qquad F:x \rightarrow (x,\xi) \quad (\xi \ \text{fixé}). \quad (5.43)$$

COROLLAIRE 5N. Soit g une fonction semi-continue inférieurement sur $R^n \times R^\nu$, prenant une valeur finie au point (x,ξ). Supposons que

$$\text{int}\{(y,\eta) | g^\uparrow(x,\xi;y,\eta) < \infty\}$$

contient un vecteur de la forme (y,0) $\qquad (5.44)$

(ce qui est vrai, notamment si g est lipschitzienne dans un

voisinage de (x,ξ)). Alors

$$\partial_x g(x,\xi) \subset \{z \mid \exists\zeta : (z,\zeta) \in \partial g(x,\xi)\}. \qquad (5.45)$$

De plus, si g est sous-différentiellement régulière en (x,ξ), alors la fonction $g(.,\xi)$ est sous-différentiellement régulière en x, et l'égalité est vérifiée dans (5.45). ∞

Notons que, lorsque g est convexe, l'hypothèse de régularité sous-différentielle est satisfaite dans le théorème 5M et dans le corollaire 5N et qu'ainsi on obtient une équation sous-gradient (même si, dans le théorème 5M, g∘F n'est pas nécessairement convexe).

Lorsque g est lipschitzienne dans un voisinage de (x,ξ) et sous-différentiellement régulière en (x,ξ), on peut appliquer le corollaire 5N pas rapport à chaque variable et ainsi obtenir

$$\partial g(x,\xi) \subset \partial_x g(x,\xi) \times \partial_\xi g(x,\xi). \qquad (5.46)$$

Si la régularité sous-différentielle fait défaut, cette inclusion n'est pas toujours vérifiée, ni l'inclusion inverse. Il existe cependant un cas important, autre que celui d'une fonction continûment différentiable, où l'égalité est vérifiée dans (5.46): lorsque g est une fonction de selle (convexe par rapport à la première variable, concave par rapport à la seconde).

On aimerait pouvoir disposer d'une règle en chaîne applicable à des applications $F:R^n \to R^m$ plus générales que celles considérées dans le théorème 5M. Actuellement, la théorie en est à un stade préliminaire, mais il existe déjà un résultat très intéressant pour le cas d'une application F *localement lipschitzienne*. Clarke a introduit, pour une application de ce type, la notion de *Jacobien généralisé* $\partial F(x)$.

D'apres le théorème de Rodemacher, F est différentiable partout, sauf sur un ensemble de mesure zéro. Par conséquent, le Jacobien habituel $\nabla F(x')$ existe presque partout. De plus, si l'ensemble des x' se limite à un sous-ensemble borné de R^n, les Jacobiens correspondants constituent un sous-ensemble borné de l'espace des matrices $R^{m \times n}$. Par conséquent, il existe une suite $x^k \to x$ telle que $\nabla F(x^k)$ existe pour tout k. De plus, la suite $\nabla F(x^k)$ est bornée et possède des sous-suites convergentes. La définition du gradient généralisé est alors

$$\partial F(x) = \text{enveloppe convexe de } \{J \mid \exists x^k \to x \text{ telle que } \nabla F(x^k) \to J\}.$$

$$(5.47)$$

Ainsi, $\partial F(x)$ est un ensemble compact et convexe de matrices de dimension mxn.

En posant $F = (f_1, \ldots, f_m)$, où $f_i : R^n \to IR$ est localement lipschitzienne, on voit que, d'après la définition (5.47) et la discussion du chapitre 4 au sujet de la situation de chaque f_i, on a

$$\partial F(x) \ \subset \ [\partial f_1(x), \ldots, \partial f_m(x)]^T. \qquad (5.48)$$

Le membre de droite de cette relation représente l'ensemble des matrices de dimension $m \times n$ dont la i-ème ligne est un élément de $\partial f_i(x)$. Notons que l'égalité a peu de chance d'être vérifiée dans cette relation.

Le résultat suivant a d'abord été obtenu par Clarke [20] sous une forme plus faible avec seulement une inclusion dans la relation (5.49). Hiriart-Urruty [19, chap. VIII], a ensuite énoncé la version établissant l'égalité dans (5.49) ainsi que les conditions pour avoir l'égalité dans (5.50).

THEOREME 5P. Soit $f = g \circ F$, où $\tilde{g}:R^m \to R$ est continûment différentiable et $F:R^n \to R^m$ est localement lipschitzienne. Alors

$$\partial f(x) \ = \ \{J^T \nabla g(F(x)) | J \in \partial F(x)\}. \qquad (5.49)$$

Il s'en suit que, si $F = (f_1, \ldots, f_m)$ et $g(u) = g(u_1, \ldots, u_m)$, on peut écrire

$$\partial f(x) \ \subset \ \sum_{i=1}^{m} \frac{\partial g}{\partial u_i} (F(x)) \partial f_i(x). \qquad (5.50)$$

De plus, si pour chaque i, f_i est sous-différentiellement régulière en x et $\frac{\partial g}{\partial u_i} (F(x)) \geq 0$, alors l'égalité est vérifiée dans (5.50). $\circledast$

COROLLAIRE 5Q.   Soit $f = g \circ h$,   où $g:R \to R$ est continûment différentiable et $h:R^n \to R$ est localement lipschitzienne. Alors

$$\partial f(x) = g'(h(x))\partial h(x). \; \circledcirc \qquad (5.51)$$

Ces deux résultats pourraient tout aussi bien s'énoncer en terme de voisinages, au lieu de considérer les propriétés de g, F et h dans l'espace tout entier, et ce du fait que seule une analyse locale est nécessaire.

Comme application de ces résultats, mentionnons la règle de Hiriart-Urruty [19, chap.VIII] pour le produit de deux fonctions.

COROLLAIRE 5R.   Soit $f = f_1 f_2$,   où f_1 et f_2 sont des fonctions localement lipschitziennes sur R^n. Alors

$$\partial(f_1 f_2)(x) \; \subset \; f_2(x)\partial f_1(x) + f_1(x)\partial f_2(x). \qquad (5.52)$$

De plus, si chaque f_i est sous-différentiellement régulière en   x   et si $f_i(x) \geq 0$ alors l'égalité est vérifiée. $\circledcirc$

Ceci découle du théorème 5P appliqué au cas   m=2   et $g(u_1, u_2) = u_1 u_2$. Une règle similaire pour le quotient de deux fonctions s'obtient en combinant les corollaires 5Q et 5R pour $g(u) = -1/u$, $(u > 0)$.

Une règle plus générale pour le produit de fonctions sera sûrement développée. On peut s'attendre à ce que celle-ci fasse intervenir une condition impliquant l'intersection de deux ensembles, semblable à l'hypothèse du théorème 5G. Mais il existe des pièges évidents. Par exemple, si $f = f_1 f_2$ où $f_1 \equiv 1$, la relation (5.52) ne s'applique pas puisque $\partial(-f_2)(x) \subset -\partial f_2(x)$ n'est pas toujours vrai. Bien sûr, dans ce cas, f n'est pas nécessairement semi-continue inférieurement, même si f_2 l'est. Donc, il faudrait recourir à une théorie des sous-gradients qui n'impose pas une telle restriction.

Plus important encore, des généralisations de ce type semblent nous conduire vers des règles de sous-différentiation en chaîne impliquant des applications localement lipschitziennes. L'idéal serait de disposer de règles de "sous-dérivation" en chaîne pour les multi-applications $F: R^n \to R^m$, qui pourraient ensuite être appliquées aux épigraphes. Et ceci pourrait ouvrir la voie à une théorie du second ordre. Mais on est encore loin de ces résultats. Il n'est même pas certain que la généralisation du Jacobien sous la forme d'un ensemble convexe de matrices soit la plus indiquée, vu que la convexité n'est pas une propriété qui se comporte de façon naturelle sous la multiplication des matrices. (C'est justement cela qui cause des problèmes dans l'établissement d'une règle de sous-differentiation en chaîne pour la composition de deux applications localement lipschitziennes.)

Quoi qu'il en soit, la règle formulée par Clarke possède des avantages évidents. Nous terminons ce chapitre en mentionnant deux résultats importants qui font suite à cette règle. Tout d'abord un théorème des fonctions implicites démontré par Hiriart-Urruty [19, chap.VIII]. Ensuite, comme cas particulier du précédent, un théorème des fonctions inverses dû à Clarke [20].

THEOREME 5S. Soient une application $F:R^n \times R^m \to R^n$ localement lipschitzienne et un point (x,u) tel que $F(x,u) = 0$. Supposons que, pour chaque $J = (J_x, J_u)$ dans $\partial F(x,u)$, J_x est non singulière. Il existe alors des voisinages $V \in N(x,u)$ et $U \in N(u)$, ainsi qu'une application localement lipschitzienne $H:U \to R^n$ tels que

$$\begin{bmatrix} (x',u') \in V, \\ F(x',u') = 0 \end{bmatrix} \Leftrightarrow \begin{bmatrix} u' \in U, \\ x' = H(u') \end{bmatrix} \quad \cdot \quad \circ$$

COROLLAIRE 5T. Soient $G:R^n \to R^n$ une application localement lipschitzienne et x un point tel que chaque $J \in \partial G(x)$ est non singulière Il existe alors des voisinages $X \in N(x)$ et $U \in N(G(x))$, ainsi qu'une application localement lipschitzienne $H:U \to R^n$ tels que

$$\begin{bmatrix} x' \in X \\ G(x') = u' \end{bmatrix} \Leftrightarrow \begin{bmatrix} u' \in U \\ H(u') = x' \end{bmatrix} \quad \cdot \quad \circ$$

CHAPITRE VI

DUALITÉ ET FONCTIONS MARGINALES

Les sous-gradients des fonctions convexes sont à la base d'une correspondance entre les représentations primale et duale d'une même fonction. Cette correspondance telle que formulée par Legendre pour les fonctions différentiables, apparaît dans le calcul des variations et ses applications. La version moderne de cette correspondance, attribuable à Fenchel (1949) (voir [21]), englobe également un certain nombre de correspondances de dualité qui sont connues depuis longtemps, comme par exemple, celle entre les cônes convexes et leurs polaires et celle entre les ensembles convexes et les fonctions sous-linéaires.

En optimisation, une telle correspondance sert à construire un problème qui est le dual du problème initial. Les variables duales peuvent en général s'interpréter comme des multiplicateurs de Lagrange. Le résultat principal de la théorie est la correspondance "bijective" entre deux problèmes de type convexe, duals l'un par rapport à l'autre et les problèmes de type convexe-concave. Par ailleurs, la construction du problème dual équivaut au plongement du problème initial dans la famille des problèmes "paramétrisés de façon convexe. A cette famille correspond une fonction marginale et c'est par son intermédiaire que le problème dual et sa solution peuvent s'interpréter (voir Rockafellar [7], [22]). En particulier, les multiplicateurs de Lagrange que nous avons rencontrés précédemment dans les conditions nécessaires d'optimalité des problèmes de minimisation avec contraintes, peuvent s'interpréter, tout au moins dans le cas convexe, comme les sous-gradients d'une certaine fonction marginale. Les recherches actuelles se font sur l'extension d'une telle interprétation au cas non convexe.

Une fonction $f:R^n \to R \cup \{\pm\infty\}$ est dite *propre* si

$$\forall x: f(x) > -\infty, \text{ et}$$
$$\exists x: f(x) < +\infty \ . \qquad\qquad (6.1)$$

Ceci signifie que épi f est un sous-ensemble non vide de R^{n+1} qui ne contient aucune ligne "verticale" entièrement. Dans ce contexte, l'ensemble

$$\text{dom } f \ = \ \{x \,|\, f(x) < +\infty\} \qquad\qquad (6.2)$$

est appelé le *domaine effectif* de f. Pour avoir une fonction propre sur R^n, il suffit de prendre une fonction f à valeurs finies, définie sur un ensemble C non vide et de donner à f la valeur +∞ en tout point en dehors de C. (Dans ce cas C = dom f.)

Si f est convexe, dom f est convexe. Si f est semi-continue inférieurement, alors épi f est fermé mais dom f n'est pas nécessairement fermé.

Les épigraphes des fonctions semi-continues inférieure-ment, convexes et propres sur R^n constituent la famille des ensembles convexes, non vides, dans R^{n+1}, qui ne contiennent aucune "ligne verticale". Or, un ensemble convexe, fermé est l'intersection des demi-espaces fermés qui le contiennent. De plus, pour les ensembles qui nous concernent, on peut montrer que cette intersection ne doit porter que sur les demi-espaces de R^{n+1} qui sont les épigraphes des fonctions affines sur R^n. Cette constatation se résume dans la proposition suivante.

PROPOSITION 6A. Une fonction f définie sur R^n est semi-continue inférieurement, propre et convexe si et seulement si f est l'enveloppe supérieure d'une famille non vide de fonc-tions affines et f n'est pas partout infinie. ∘

Ainsi f peut se décrire de deux façons, chacune d'elles faisant appel à une famille d'éléments de R^{n+1}. Dans la des-cription primale, on considère tous les couples $(x,\alpha) \in R^{n+1}$ tels que $\alpha \geq f(x)$, ce qui revient, en quelque sorte, à décrire l'*épigraphe* de f. Dans la description duale on considère tous les couples $(z,\beta) \in R^{n+1}$, correspondant à des fonctions affines qui sont majorées par f:

$$f(x) \geq x \cdot z - \beta \quad \text{pour tout } x.$$

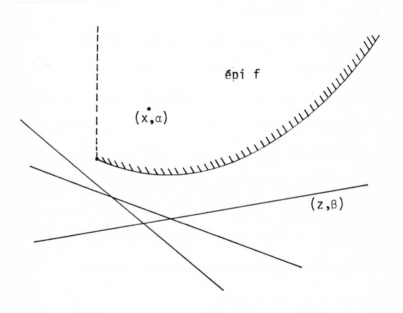

Quelle est la nature de ce deuxième ensemble? On peut voir facilement que cet ensemble est non vide, convexe, fermé et qu'il contient, pour chaque z, tous les couples (z,β) tels que $\beta \geq f^*(z)$ ou

$$f^*(z) = \sup\{z \cdot z - \alpha \,|\, (x,\alpha) \in \text{epi } f\}$$

$$= \sup_{x \in R^n} \{x \cdot z - f(x)\} > -\infty. \qquad (6.3)$$

Or ceci signifie que les couples (z,β) contituent l'épigraphe

de f^* et que f^* est aussi une fonction semi-continue inférieurement, propre et convexe. Par conséquent, la description
duale passe par une autre fonction f^*.

D'autre part, puisque

$$f(x) = \sup\{x \cdot z - \beta \mid (z, \beta) \in \text{épi } f^*\}$$

$$= \sup_{z \in R^n} \{x \cdot z - f^*(z)\}, \qquad (6.4)$$

on voit que f, à son tour, fournit une description duale de f^*.
On dit que f et f^* sont *conjuguées* et l'application injective $f \to f^*$ (de l'ensemble des fonctions semi-continues inférieurement, propres et convexes dans lui-même) est appelée
la *transformation de Fenchel*.

THEOREME 6B. Si f est une fonction semi-continue inférieurement, propre et convexe sur R^n alors f^* l'est également
et $f^{**} = f$. ∘

EXEMPLE 1 *(Transformation de Legendre)*. Considérons une fonction f convexe et différentiable. Le point x correspond
au supremum définissant $f^*(z)$ si et seulement si $\nabla f(x) = z$.
Supposons que la solution x de cette équation est *unique* pour
tout $z \in R^n$ (ce qui revient à supposer que f est *strictement* convexe et satisfait la condition de croissance appelée
"coercivité"). Cette solution peut s'écrire $x = (\nabla f)^{-1}(z)$

et en substituant dans l'expression à maximiser, on obtient

$$f^*(z) = z \cdot (\nabla f)^{-1}(z) - f((\nabla f)^{-1}(z)). \qquad (6.5)$$

Cette opération est la transformation de Legendre qui, sous les hypothèses données, est un cas particulier de la transformation de Fenchel.

La transformation de Legendre est souvent décrite sous une forme plus générale, sans référence à des hypothèses globales, en la considérant comme une correspondance *locale* entre fonctions. Dans le cadre des mathématiques modernes, cette forme n'est plus adéquate puisque, d'une part, des ambiguïtés gênantes apparaissent dans la définition des domaines des fonctions et, d'autre part, les opérations effectuées sous cette forme ne peuvent pas toujours s'inverser. (Pour une discussion détaillée, voir [7, §26].)

EXEMPLE 2 (*Ensembles convexes et fonctions sous-linéaires*). Appliquons la transformation de Fenchel à la fonction indicatrice de l'ensemble C fermé non vide. On obtient:

$$\psi_C^*(z) = \sup_{x \in R^n} \{x \cdot z - \psi_C(x)\} = \sup_{x \in C} x \cdot z. \qquad (6.6)$$

Cette fonction est appelée la *fonction de support* de C. A chaque $z \in R^n$, elle fait correspondre la plus petite valeur de β telle que

$$C \subset \{x \mid x \cdot z \le \beta\}.$$

Donc, elle décrit l'ensemble des demi-espaces fermés contenant C. Et en particulier on a

$$C = \{x \mid \psi_C^*(z) \geq x \cdot z \text{ pour tout } z \in R^n\}. \qquad (6.7)$$

En fait, ψ_C^* est une fonction *sous-linéaire* semi-continue inférieurement et une telle fonction peut se décrire de façon unique sous cette forme. Ainsi, on obtient le même type de correspondance entre ensembles et fonctions, que celle utilisée au chapitre 3, dans la définition des sous-gradients (voir le théorème 3F et la discussion qui le précède).

EXEMPLE 3 (*Cônes polaires*). Si K est un cône convexe fermé contenant l'origine et K^O est le cône polaire alors la fonction conjuguée de ψ_K est ψ_{K^O}. Par conséquent la relation $K^{OO} = K$ est une conséquence de la relation $f^{**} = f$ du théorème 6B.

Si K est un sous-espace alors K^O est le complément orthogonal de K. Cette correspondance classique entre sous-espaces peut donc se voir comme un cas particulier des "conjugués" de Fenchel.

Plusieurs autres exemples de fonctions convexes conjuguées pourraient être mentionnés (voir [7]). Tournons-nous plutôt vers les résultats concernant les sous-gradients en mentionnant tout d'abord un théorème d'inversion.

PROPOSITION 6C.   Soit f une fonction propre, convexe et semi-continue inférieurement. Alors

$$f(x) + f^*(z) \geq x \cdot z \quad \text{pour tout } x,z. \qquad (6.8)$$

De plus,

$$f(x)+f^*(z) = x \cdot z \Leftrightarrow z \in \partial f(x) \Leftrightarrow x \in \partial f^*(z). \quad (6.9)$$

(Ainsi la multi-application ∂f^* est l'"inverse" de la multi-application ∂f.) ∘

En posant z=0, on obtient un résultat des plus intéressants en optimisation.

COROLLAIRE 6D.   Soit f une fonction propre, convexe et semi-continue inférieurement. Alors

$$-f^*(0) = \inf f, \qquad (6.10)$$
$$\partial f^*(0) = \arg \min f, \text{ (ensemble des minorants de f)} (6.11) ∘$$

En réalité, il existe une dualité très large entre le problème de minimisation de f (qui représente, comme on l'a vu au chapitre 1, un problème général de minimisation de type convexe, avec contraintes) et l'analyse des propriétés de f^* au point 0. D'après (6.10), inf f a une valeur finie si et seulement si $0 \in \text{dom } f^*$. D'autre part, on peut montrer que les ensembles de niveau $\{x | f(x) \leq \alpha\}$ sont bornés si et seu-

lement si $0 \in$ int dom f^*. Alors, d'après (6.11) et les théorèmes 4F et 4H, arg min f est un point unique si et seulement
si f^* est différentiable au point 0.

Ce genre de dualité joue un grand rôle lorsqu'on considère qu'un problème d'optimisation fait partie d'une *classe de
problèmes paramétriques* du même type. Soit $f:R^n \times R^m \to R \cup \{\pm\infty\}$
et pour $u \in R^m$, considérons la minimisation de $f(x,u)$ pour
tout $x \in R^n$. Au chapitre 1, nous avons vu que ce problème
représente un modèle très général, les contraintes pouvant se
mettre sous une forme implicite en utilisant la valeur $+\infty$.
Sans perte de généralité, on peut supposer que le problème
qui nous intéresse correspond à $u = 0$. Celui-ci sera appelé
le *problème primal:*

(P)   minimiser $f(x,0)$ pour tout $x \in R^n$.

Nous nous intéressons, non seulement à l'existence de
solutions, mais également aux propriétés de la *fonction marginale* associée à chaque paramètre $u \in R^m$:

$$p(u) = \inf_{x \in R^n} f(x,u). \qquad (6.12)$$

Pour $u=0$, on a

$$p(0) = \inf(P). \qquad (6.13)$$

Les propriétés de p autour de 0 sont reliées à la "stabi-
lité" de (P) par rapport à la perturbation du paramètre.

Les sous-gradients et sous-dérivées de p au point 0
ont une signification particulière. Pour rester dans les limites de la théorie que nous avons présentée, nous devons imposer
une condition supplémentaire qui implique la semi-continuité
inférieure de p. La proposition suivante fournit une telle
condition, ainsi qu'une fonction conjuguée qui permettra d'introduire un problème dual dans le cas convexe.

PROPOSITION 6E.   Soient f une fonction propre, semi-continue
inférieurement sur $R^n \times R^m$, et p la fonction marginale définie
en (6.12). Une condition suffisante pour que p soit propre
et semi-continue inférieurement sur R^m est que

$$\forall u \in R^m, \quad \alpha \in R, \quad \exists U \in N(u) \quad \text{tel que}$$

$$\bigcup_{u' \in U} \{x \mid f(x,u') \leq \alpha\} \quad \text{est bornée.} \qquad (6.14)$$

Si f est convexe, cette condition se réduit a

$$\exists u \in R^m, \quad \alpha \in R, \quad \text{tels que}$$

$$\{x \mid f(x,u) \leq \alpha\} \quad \text{est borné et non vide.} \qquad (6.15)$$

De plus, dans ce cas, p est convexe et sa fonction conjuguée
est

$$p^* = f^*(0,.). \quad \circ \qquad (6.16)$$

D'après le corollaire 6D et la discussion qui le suit, la relation (6.16) montre que les propriétés de p qui nous intéressent sont directement reliées à la minimisation de $f^*(0,.)$. C'est pourquoi nous introduisons, dans le cas convexe, le problème dual:

(P*)   minimiser $f^*(0,w)$ sur $\{w \in R^n\}$.

Remarquons que (P^*), tout comme (P) est un problème de type convexe qui appartient à *une famille particulière de problèmes du même type*, soit les problèmes de minimisation de $f^*(z,.)$ sur R^m, pour chaque $z \in R^n$.

La fonction marginale associée au dual est

$$q(z) = \inf_{w \in R^m} f^*(z,w) \quad \text{pour tout } z \in R^n, \qquad (6.17)$$

et nous nous intéressons à ses propriétés locales au point z=0.

La relation entre f et f^* étant symétrique, on peut appliquer la proposition 6E de façon duale.

COROLLAIRE 6F. Soit f une fonction propre, convexe et semi-continue inférieurement sur $R^n \times R^m$, et soit q la fonction marginale définie en (6.17). Supposons que

$$\exists z \in R^n, \beta \in R \text{ tels que}$$

$$\{w | f^*(z,w) \leq \beta\} \text{ est borné et non vide.} \qquad (6.18)$$

Alors q est propre, convexe et semi-continue inférieurement, et sa fonction conjuguée est

$$q^* = f(.,0). \quad \circ \qquad (6.19)$$

En combinant ces résultats et ceux du corollaire 6D, on obtient le théorème central de la dualité en optimisation des problèmes de type convexe. Ce théorème donne également la règle de sous-différentiation des fonctions marginales dans le cas convexe.

THEOREME 6G.   Soient les problèmes (P) et (P*) où f est une fonction propre, convexe et semi-continue inférieurement sur $R^n \times R^m$.

(a)   S'il existe un $\alpha \in R$ tel que l'ensemble $\{x \mid f(x,0) \leq \alpha\}$ dans (P) est borné et non vide (ce qui est équivalent à supposer que q prend des valeurs finies dans un voisinage de 0), alors

$$\inf(P^*) = -\min(P) = -p(0) \quad \text{(fini)}, \qquad (6.20)$$

$$\text{w est une solution de (P*)} \Leftrightarrow w \in \partial p(0). \qquad (6.21)$$

(b)   S'il existe un $\beta \in R$ tel que l'ensemble $\{w \mid f^*(w,0) \leq \beta\}$ dans (P*) est borné et non vide (ce qui est équivalent à supposer que p prend des valeurs finies dans un voisinage de 0), alors

$$\inf(P) = -\min(P^*) = -q(0) \quad \text{(fini)}, \qquad (6.22)$$

$$\text{x est une solution de (P)} \Leftrightarrow x \in \partial q(0). \qquad (6.23)$$

Ici, "min" remplace "inf" pour montrer que cet infimum est atteint.

Les solutions de (P) et (P*) peuvent se caractériser par rapport à la fonction

$$h(x,w) = \inf_{u\in R^m} \{f(x,u)-u\cdot w\} \quad \text{pour } w \in R^m. \quad (6.24)$$

Notons que -h(x,.) est le conjugué de f(x,.) et par la dualité, on obtient

$$f(x,u) = \sup_{w\in R^m}\{u.w + h(x,w)\}. \quad (6.25)$$

Par conséquent, la fonction h tout comme f et f^*, renferme tous les éléments des problèmes (P) et (P*), y compris la paramétrisation. ⊙

THEOREME 6H. Soient f une fonction propre, convexe et semi-continue inférieurement sur $R^n \times R^m$ et la fonction h définie sur $R^n \times R^m$ par (6.24).

Alors h(x,w) est convexe par rapport à x et concave par rapport à w (c'est-à-dire h est une fonction de selle).

De plus, si l'équation inf(P) = -inf(P*) est vérifiée (ce qui est le cas sous les hypothèses (a) et (b) du théorème 6G), et s'il existe des couples (x,w) tels que x est une solution de (P) et w est une solution de (P*), alors ces couples sont les cols de la fonction h:

$$h(x',w) \geq h(x,w) \geq h(x,w') \quad \text{pour tout } x',w'. \odot \quad (6.26)$$

La première partie de ce théorème peut également s'inverser: les fonctions h que l'on obtient sont précisement,
les fonctions de selle de $R^n \times R^m$ qui sont "fermées supérieurement" (voir [7, §33-34]). La fermeture supérieure est une
condition faible. Donc le théorème 6H exprime une équivalence
entre la théorie des couples duals en optimisation de problèmes de type convexe, et la théorie des problèmes min-max de
type concave-convexe. La condition (6.26) concernant les
cols peut évidemment s'analyser en termes de sous-gradients.
C'est ce que nous ferons plus loin pour un cas particulier.

Une partie de la symétrie existant entre (P) et (P*)
est perdue lorsqu'on caractérise les solutions sous une forme
min-max, du fait qu'on minimise par rapport à une variable
et maximise par rapport à l'autre. En fait, le problème dual
est généralement exprimé sous la forme d'une maximisation
pour que les équations reliant les valeurs optimales dans le
théorème 6H puissent s'écrire "inf=sup" plutôt que "inf=-inf".

Pour retrouver une symétrie complète, on travaille
avec la fonction concave

$$g(z,\lambda) = -f^*(z,-\lambda) \qquad (\lambda=-w). \qquad (6.27)$$

Le problème dual est alors

(Q)   maximiser $g(0,\lambda)$ pour tout $\lambda \in R^m$,

et, dans le théorème 6H, la fonction h est remplacée par la
fonction de selle

$$k(x,\lambda) \ = \ h(x,-\lambda) \ = \ \inf_{u}\{f(x,u)+\lambda\cdot u\}. \qquad (6.28)$$

Notons que la fonction à minimiser dans (P) peut s'écrire

$$f(x,0) \ = \ \sup_{\lambda\in R^{m}} k(x,\lambda), \qquad (6.29)$$

tandis que la fonction à maximiser dans (Q) s'ecrit

$$g(0,\lambda) \ = \ \inf_{x\in R^{n}} \ k(x,\lambda). \qquad (6.30)$$

Par conséquent

$$\inf(P) \ = \ \inf_{x\in R^{n}} \sup_{\lambda\in R^{m}} k(x,\lambda),$$

$$\qquad (6.31)$$

$$\sup(Q) \ = \ \sup_{\lambda\in R^{m}} \inf_{x\in R^{n}} k(x,\lambda).$$

Ces relations paraissent plus naturelles du point de vue de la théorie min-max, même si cela suppose de traiter les fonctions convexes et les fonctions concaves sur un pied d'égalité. Cette théorie est étudiée en détails dans [22] et des exemples de problèmes duals y sont donnés.

Considérons, un exemple de programmation non linéaire. Soit le problème primal

(P_{o}) minimiser $f_{0}(x)$ tel que $f_{i}(x) \le 0$, $i=1,\ldots,m$,

où, par souci de simplification, on suppose que les fonctions $f_{0},\ldots,f_{m}$ prennent des valeurs finies sur R^{n}. Pour $u=(u_{1},\ldots,u_{m}) \in R^{m}$, on pose

$$f(x,u) = \begin{cases} f_0(x) & \text{si } f_i(x) \le u_i, \ i=1,\ldots,m \\ +\infty & \text{autrement.} \end{cases} \qquad (6.32)$$

Alors (P_0) a la même forme que (P), et la fonction marginale est

$$p(u) = \inf\{f_0(x) \mid f_i(x) \le u_i, \ i=1,\ldots,m\} . \qquad (6.33)$$

Si les fonctions $f_0,\ldots,f_m$ sont convexes (et donc également continues partout, puisqu'à valeurs finies), la fonction f est semi-continue inférieurement, propre et convexe, et la théorie qui vient d'être développée est applicable. A partir de (6.28) on obtient

$$k(x,\lambda) = \begin{cases} f_0(x)+\lambda_1 f_1(x)+\ldots+\lambda_m f_m(x) \\ \qquad \text{si } \lambda_1 \ge 0,\ldots,\lambda_m \ge 0, \\ -\infty \qquad \text{autrement,} \end{cases} \qquad (6.34)$$

et par (6.30), le dual peut s'écrire

(Q_0) maximiser $\inf\limits_{x \in R^n} \{f_0(x)+\lambda_1 f_1(x)+\ldots+\lambda_m f_m(x)\}$ pour tout

$$\lambda = (\lambda_1,\ldots,\lambda_m) \ge 0.$$

Tout ceci peut se mettre sous une forme plus concrète si la structure des fonctions f_i est précisée.

THEOREME 6I.   Supposons que les fonctions $f_0,\ldots,f_m$ de (P_0) sont convexes. Supposons également qu'il existe au moins un $\alpha \in R$ pour lequel l'ensemble

$$\{x \mid f_0(x) \leq \alpha, \ f_1(x) \leq 0, \ldots, f_m(x) \leq 0\} \qquad (6.35)$$

est borné et non vide, et que $0 \in \text{int}(\text{dom } p)$. Alors

$$\min(P_0) = \max(Q_0) \quad (\text{fini}),$$

et les solutions optimales de (Q_0) coïncident avec les vecteurs λ tels que $-\lambda \in \partial p(0)$. De plus, λ possède cette propriété si et seulement s'il existe un x tel que le couple (x, λ) est un col de la fonction k définie en (6.34). Egalement, les vecteurs x qui satisfont cette condition coïncident avec les solutions optimales de (P_0). ∞

L'hypothèse $0 \in \text{int}(\text{dom } p)$ revient à supposer l'existence d'un $\tilde{x}$ tel que $f_i(\tilde{x}) < 0$ pour $i=1,\ldots,m$. Si nous avons choisi de l'écrire sous cette forme, c'est parce qu'ainsi on peut traiter les problèmes avec contraintes d'égalité. (Dans les problèmes de type convexe, les fonctions intervenant dans les contraintes d'égalité doivent être non seulement convexes mais également *affines*.)

Supposer que (x, λ) est un col de k est équivalent à supposer que la fonction convexe $k(., \lambda)$ atteint un minimum sur R^n au point x, et que la fonction concave $k(x, .)$ atteint un maximum sur R^m au point λ. Pour k défini en (6.34), cette condition peut également s'exprimer par les *conditions de Kuhn-Tucker* de (P_0):

$$0 \in \partial(f_0 + \lambda_1 f_1 + \ldots + \lambda_m f_m)(x)$$

$$\lambda_i \geq 0, \ f_i(x) \leq 0, \ \lambda_i f_i(x) = 0 \quad \text{pour} \quad i = 1, \ldots, m.$$

(6.36)

En utilisant la convexité de $f_0, \ldots, f_m$ et le théorème 5C, la première relation peut aussi s'écrire

$$0 \in \partial f_0(x) + \lambda_1 \partial f_1(x) + \ldots + \lambda_m \partial f_m(x). \qquad (6.37)$$

Les conditions d'optimalité pour (P_0) qui ont été trouvées dans le chapitre 5 en se servant d'une autre méthode sont donc équivalentes aux conditions de Kuhn-Tucker.

Une conséquence du théorème 6I est d'établir un lien entre les "multiplicateurs" λ_i et les propriétés du sous-gradient de la fonction marginale au point O.

COROLLAIRE 6J. Avec les hypothèses du théorème 6I et pour la fonction p définie par (6.33), on a

$$\partial p(0) = \{-\lambda \,|\, \exists x \text{ qui, avec } \lambda, \text{ vérifie les conditions de Kuhn-}$$
$$\text{Tucker } (6.36)\}. \ \circ$$

Par conséquent, dans le cas où (P_0) est un problème de type convexe, les multiplicateurs λ_i peuvent s'interpréter comme des dérivées généralisées de la fonction marginale. En particulier, si le vecteur $(\lambda_1, \ldots, \lambda_m)$ qui satisfait ces conditions est unique alors

$$\lambda_i = -\frac{\partial p}{\partial u_i}(0) \quad \text{pour} \quad i = 1, \ldots, m.$$

Lorsque (P_0) n'est pas de type convexe, par exemple lorsque les fonctions f_i sont seulement localement lipschitziennes les conditions de Kuhn-Tucker ont encore un sens. Mais on n'a seulement pu prouver que, sous certaines hypothèses (voir chapitre 5), si on remplace la première relation par (6.37) alors ces conditions sont nécessaires. Lorsque les fonctions ne sont pas sous-différentiellement régulières ces conditions ont encore moins d'intérêt (voir théorème 5G).

Sans la convexité, il semble difficile de relier les multiplicateurs des conditions de Kuhn-Tucker et les solutions d'un problème dual. Cependant, la généralisation des formules du corollaire 6J suscite beaucoup d'intérêt depuis que Clarke [16] a établi une condition impliquant des multiplicateurs pour le cas de fonctions localement lipschitziennes. Mais actuellement l'interprétation de ces multiplicateurs n'est pas encore connue.

Notons en passant, que dans le cas où il n'y a que des contraintes d'inégalité, la fonction marginale p définie en (6.33) est non croissante:

$$p(u) \geq p(u') \quad \text{pour} \quad u \leq u',$$

et par conséquent, que p est *lipschitzienne dans une direction* (proposition 4L). Cette propriété simplifie quelque peu l'analyse de p. Avec quelques hypothèses additionnelles, cette propriété reste valide pour les problèmes avec contraintes d'égalité.

J. Gauvin [23] a établi une généralisation des formules du corollaire 6J pour des fonctions f_i continûment différentiables. Il a montré, entre autres, que sans certaines hypothèses de régularité (qualification des contraintes) la fonction p est lipschitzienne dans un voisinage de 0 et que

$\partial p(0) \subset co\{-\lambda|\exists x$ qui, avec λ, vérifie les conditions de Kuhn-Tucker}.

J.P.Aubin et F.H.Clarke [24] ont traité le problème où f_0 est non différentiable et localement lipschitzienne, avec un système particulier de contraintes convexes. Ils ont montré l'existence, dans $\partial p(0)$, d'au moins un vecteur $-\lambda$ qui soit un multiplicateur des conditions de Kuhn-Tucker.

Hiriart-Urruty [19, chap.VI] a étudié la fonction marginale sous sa forme générale (6.12). Pour différentes propriétés de f, il déduit des relations entre ∂p et ∂f.

Les recherches se poursuivent, et il reste encore beaucoup de choses à découvrir concernant les propriétés des sous-gradients des fonctions marginales.

CHAPITRE VII

MONOTONICITÉ DES MULTI-APPLICATIONS SOUS-GRADIENTS

Pour une fonction propre et semi-continue inférieurement sur R^n (mais pas nécessairement convexe), nous avons défini $\partial f(x)$ pour tout point x tel que f(x) prend une valeur finie. Nous pouvons élargir cette définition en posant $\partial f(x) = \phi$ lorsque $f(x) = +\infty$. Alors la multi-application

$$\partial f: x \rightarrow \partial f(x)$$

est définie pour tout x.

A la multi-application $A: R^n \rightarrow R^n$, on associe les ensembles

$$G(A) = \{(x,z) \mid z \in A(x)\}$$

$$D(A) = \{x \mid A(x) \neq \phi\} = R(A^{-1}) \qquad (7.1)$$

$$R(A) = \{z \mid \exists x: z \in A(x)\} = D(A^{-1}),$$

où

$$A^{-1}(z) = \{x \mid z \in A(x)\}. \qquad (7.2)$$

Que deviennent ces ensembles lorsque A = ∂f? En particulier,
quelles sont les propriétés de telles multi-applications, et
peut-on reconstruire la fonction f à partir des informations
concernant ses sous-gradients? Il est en général très difficile de répondre à ces questions.

     Nous décrirons les résultats obtenus pour des fonctions
convexes. Ceux-ci sont étroitement liés à la théorie des multi-
applications "monotones", théorie qui a trouvé, ces dernières
années, de nombreuses applications en analyse non linéaire.

     Considérons tout d'abord le cas convexe à une dimension.
Les "sous-gradients" z ∈ ∂f(x) se réduisent alors à des nombres (représentant des pertes généralisées). Quant à G(∂f),
c'est un sous-ensemble de R×R que l'on détermine facilement
en examinant l'épigraphe de f.

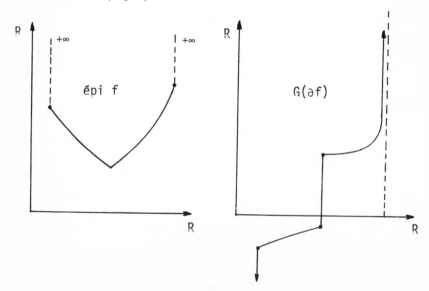

En regardant différents exemples, on arrive à une conclusion frappante: bien que f soit une multi-application avec ∂f(x) parfois vide ou parfois égal à tout un intervalle, le graphe de G(∂f) ressemble fort à celui d'une fonction.

PROPOSITION 7A.   Une multi-application A:R → R est de la forme ∂f où f est une fonction propre, convexe et semi-continue inférieurement sur R, si et seulement s'il existe une fonction non décroissante φ:R → R ∪ {±∞} (ne prenant pas la valeur +∞ ou -∞ identiquement) telle que

$$A(x) = \{z \in R \mid \varphi(x-) \leq z \leq \varphi(x+)\} \text{ pour tout x. }$$ °

Pour une fonction non décroissante , on a $\varphi(x-) = \varphi(x+)$ sauf pour des valeurs dénombrables de x. Par conséquent, le graphe de ∂f ne diffère du graphe d'une fonction que par les segments verticaux qu'il contient.

Le graphe de ∂f peut également se décrire par rapport à l'ordre partiel induit par les coordonnées dans R×R. Un sous-ensemble Γ de R×R est *totalement ordonné* si, pour tout (x,z) ∈ Γ et pour tout (x',z') ∈ Γ, on a soit (x,z) ≤ (x',z'), soit (x',z') ≤ (x,z). Un ensemble totalement ordonné est *maximal* s'il n'existe aucun ensemble totalement ordonné Γ' tel que Γ' ⊃ Γ, Γ' ≠ Γ. Les ensembles G(∂f) de la proposition 7A sont precisément les sous-ensembles totalement ordonnés maximaux de R×R. (Pour plus de détails, voir [7, §24].)

En plusieurs dimensions, le graphe d'une multi-application sous-gradient ne peut se décrire aussi simplement par rapport à un "ordre induit", mais d'autres notions de monotonie s'avèrent fondamentales. Une multi-application $A:R^n \to R^n$ est *monotone* (au sens de Minty) si

$$\begin{matrix} z_0 \in A(x_0) \\ z_1 \in A(x_1) \end{matrix} \Rightarrow (x_1-x_0)\cdot(z_1-z_0) \geq 0. \qquad (7.3)$$

Elle est *monotone maximale* s'il n'existe aucune autre multi-application monotone $A':R^n \to R^n$ telle que $G(A') \supset G(A)$, $G(A') \neq G(A)$. On voit immédiatement que A^{-1} est monotone maximale si A l'est.

Dans le cas d'une dimension, ce concept se ramène à une multi-application dont le graphe dans R×R est un ensemble totalement ordonné maximal.

THEOREME 7B. Si f est une fonction propre, convexe et semi-continue inférieurement sur R^n, alors ∂f est une multi-application monotone maximale. (Mais il existe des multi-applications monotones maximales qui ne sont pas de la forme ∂f.) ∎

Ce résultat a été établi par Moreau [25] dans le cadre des espaces de Hilbert, alors que Minty [26] avait déjà traité certains cas particuliers. Rockafellar [27] l'a ensuite étendu aux espaces de Banach. Et dans le cas d'un espace plus général il est prouvé que ce résultat ne tient pas.

Comme l'illustration, considérons le cas linéaire. Une transformation linéaire $A : R^n \to R^n$ est monotone si et seulement si

$$0 \leq (x_1 - x_0)(A(x_1) - A(x_0)) = (x_1 - x_0) \cdot A(x_1 - x_0),$$

pour tout x_0, x_1. Si on écrit $A = A_s + A_a$, où A_s est la partie symétrique et A_a la partie anti-symétrique,

$$A_s = \frac{1}{2}(A + A^*), \qquad A_a = \frac{1}{2}(A - A^*),$$

alors la condition de monotonie est

$$0 \leq x \cdot A(x) = x \cdot A_s(x) \quad \text{pour tout } x.$$

Ainsi, A est monotone si et seulement si sa partie symétrique est positive semi-définie. D'autre part, si A est de la forme ∂f, f doit être une fonction continument différentiable et $A = \nabla f$ (voir théorème 4F). Par conséquent, f doit être une fonction quadratique:

$$f(x) = \frac{1}{2} x \cdot A(x) + \text{constante}.$$

Mais alors $\nabla f(x) = A_s$. *Ainsi, A est de la forme ∂f, si et seulement si $A = A_s$,* (ou encore, si $A = A^*$).

En particulier, les transformations linéaires A pour lesquelles A_s est positive semi-définie mais $A_a \neq 0$ sont des exemples d'applications monotones (maximales) qui ne sont pas de la forme ∂f.

Une multi-application $A: R^n \to R^n$ est *cycliquement monotone* si

$$z_i \in A(x_i) \quad \text{pour} \quad i=0,1,\ldots,N \quad \text{(quelconque)}$$

$$\Rightarrow \quad 0 \geq (x_1-x_0) \cdot z_0 + (x_2-x_1) \cdot z_1 + \ldots + (x_0-x_N) \cdot z_N. \quad (7.4)$$

Elle est *cycliquement monotone maximale* s'il n'existe aucune autre multi-application cycliquement monotone $A': R^n \to R^n$ telle que $G(A') \supset G(A)$, $G(A') \neq G(A)$.

Notons que, pour $N=1$, (7.4) se ramène à (7.3). Pour les espaces R^n où $n \geq 2$, les classes de multi-applications vérifiant (7.4) pour un N fixe, sont distinctes. L'intersection de toutes ces classes est contenue dans l'ensemble des multi-applications cycliquement monotones.

THEOREME 7C. (Rockafellar [27].) Une multi-application $A: R^n \to R^n$ est de la forme ∂f, où f est une fonction propre, convexe et semi-continue inférieurement sur R^n, si et seulement si A est cycliquement monotone maximale. Dans ce cas, f est unique, à l'addition d'une constante près. ∘

On ne connaît pas de résultat similaire pour les sous-gradients de fonctions non convexes (non différentiables). Cependant, à moins d'imposer certaines conditions à f, il ne sera pas possible de déterminer, à partir de ∂f, une fonction f unique à l'addition d'une constante près, et ceci même dans le cas d'une fonction lipschitzienne.

Par exemple, considérons la fonction f construite de la façon suivante. Prenons l'ensemble mesurable $S \subset R$ tel que pour tout intervalle I ouvert et non vide, les ensembles $I \cap S$ et $I \cap (R \setminus S)$ sont de mesure positive. Définissons

$$\varphi(x) = \begin{cases} +1 & \text{si } x \in S \\ -1 & \text{si } x \notin S \end{cases}$$

$$f(x) = \int_0^x \varphi(t) \, dt.$$

Alors f est globalement lipschitzienne sur R (avec la constante de Lipschitz égale à 1) et f est différentiable presque partout, c'est-à-dire $f'(x) = \varphi(x)$ pour presque chaque x. D'après le choix de S, dans tout voisinage de n'importe quel x, on a des points où f' est égal à 1 et des points où f' est égal à -1. Alors, d'après le théorème 4D, on a

$$\partial f(x) = [-1, +1] \quad \text{pour tout } x \in R.$$

Cette multi-application étant invariante sous la translation, pour chaque $\xi \in R$, la fonction

$$f_\xi(x) = f(x-\xi)$$

est telle que $\partial f_\xi = \partial f$. Or $f_\xi'(x) = \varphi(x-\xi)$ pour presque

chaque x et par conséquent, on ne peut généralement pas con-

clure que $f_\xi = f+$constante.

Il existe cependant des classes de fonctions non con-

vexes pour lesquelles on peut obtenir beaucoup d'information

à partir de ∂f. Par exemple, si f est une fonction concave

à valeurs finies, la multi-application $A(x) = -\partial f(x)$ est

cycliquement monotone maximale, et également monotone maximale

en raison des théorèmes 4D, 4A, 7C et 7B. A ce propos, un

autre résultat à mentionner est le suivant.

PROPOSITION 7D.   Soit h une fonction à valeurs finies de

$R^n \times R^m$ avec $h(x,w)$ convexe par rapport à x et concave par

rapport à w. Alors la multi-application

$$A(x,w) = \{(z,-u)|(z,u) \in \partial h(x,u)\} \qquad (7.5)$$

est monotone maximale. ∞

Dans cette proposition, si on se limite à des fonctions

h à valeurs finies, c'est simplement pour faciliter le lien

avec la théorie des sous-gradients développée dans ces notes.

En fait, des hypothèses de semi-continuité sont suffisantes

(voir [7,§35]).

Il est intéressant de se rappeler que pour les fonctions convexes, concaves ou de selle, la multi-application sous-gradient prend des "valeurs multiples" sur au plus un ensemble de mesure zéro (voir théorème 4H). Le théorème 7H donne un résultat similaire pour les multi-applications monotones maximales. Nous verrons également dans les théorèmes qui suivent, que de telles fonctions possèdent des propriétés qui rappel - lent, par exemple, celles observées en calcul sous-différen- tiel.

Nous avons vu que, pour une fonction propre, convexe et semi-continue inférieurement sur R, le graphe de ∂f est une sorte de "courbe" dans R×R. Le résultat suivant est une géné- ralisation de cette propriété pour les espaces de dimension supérieure.

THEOREME 7E.   (Minty [28], 1962). Soit $A: R^n \to R^n$ une multi- application monotone maximale. Alors $G(A)$ est une "variété lipschitzienne" de dimension n dans R^n. En fait, il existe une application (globalement) lipschitzienne

$$\theta: G(A) \to R^n$$

telle que $R(\theta) \subset R^n$ et dont l'inverse est (globalement) lip- schitzienne. (Entre autres, $\theta(x,z) = x+y$ possède ces pro- priétés.) ⊛

Nous allons maintenant étudier les propriétés de convexité des multi-applications monotones. Dans cette perspective, définissons le concept d'*intérieur relatif* ri C d'un ensemble convexe $C \subset R^n$ comme l'intérieur de C par rapport à l'enveloppe affine de C (le plus petit "sous-espace translaté" de R^n qui contient C). Par exemple, si C est un triangle, l'enveloppe affine de C est un certain plan (de dimension 2); ri C est l'intérieur de ce triangle par rapport à ce plan, quelle que soit la dimension de l'espace dans lequel se trouve ce triangle. Pour tout ensemble $C \in R^n$, convexe et non vide, l'intérieur relatif ri C et la fermeture cl C sont convexes et non vides et

$$ri(cl\ C) = ri\ C \subset C \subset cl\ C = cl(ri\ C). \qquad (7.6)$$

La proposition suivante, concernant les fonctions convexes, donne une idée de ce que pourrait être un théorème de convexité pour les multi-applications monotones.

PROPOSITION 7F.   Pour une fonction f propre, convexe et semi-continue inférieurement sur R^n, on a

$$ri(dom\ f) \subset D(\partial f) \subset dom\ f \qquad (7.7)$$

$$ri(dom\ f^*) \subset R(\partial f) \subset dom\ f^*. \circ \qquad (7.8)$$

La seconde relation se base sur le fait que $(\partial f)^{-1} = \partial f^*$ (voir proposition 6C).

Un ensemble $C \subset R^n$ est *presque convexe* s'il existe un ensemble convexe C' tel que $C' \subset C \subset cl\, C'$. Si on pose $C' = ri(dom\, f)$, alors par (7.6) on a $cl\, C' = cl(dom\, f)$ et par (7.7) on a que $D(\partial f)$ est presque convexe. De la même façon, (7.8) implique que $R(\partial f)$ est presque convexe. (Il existe des exemples pour lesquels ces ensembles ne sont pas convexes, voir [7, §23].)

THEOREME 7G (Minty [29], 1961) Pour toute multi-application monotone maximale $A:R^n \to R^n$, les ensembles $D(A)$ et $R(A)$ sont presque convexes. De plus, pour tout x et z, $A(x)$ et $A^{-1}(z)$ sont des ensembles convexes fermés. ⊛

Ce résultat reste valide dans les espaces de Banach réflexifs si on remplace la "presque convexité" par la "convexité virtuelle" (Rockafellar [30], [31]).

Nous dirons que A est *différentiable* au point x si $A(x)$ est composé d'un élément unique z et s'il existe une transformation linéaire B telle que

$$A(x') = z + B(x'-x) + o(|x'-x|),$$

autrement dit, si

$$\forall \varepsilon > 0, \; \exists \delta > 0, \; \forall x' \text{ tel que } |x'-x| \leq \delta,$$

$$\forall z' \in A(x'), \; |z'-[z+B(x'-x)]| \; \leq \; \varepsilon|x'-x|.$$

THEOREME 7H. (Mignot [32], 1974). Une multi-application monotone maximale $A:R^n \rightarrow R^n$ est différentiable presque par-tout sur int $D(A)$. ∘

Combinant les théorèmes 7G et 7H, on obtient un résultat original.

COROLLAIRE 7I. Soit une multi-application $A:R^n \rightarrow R^n$, mono-tone maximale. Alors

$$\{x|A(x) \text{ possède plus d'un élément}\},$$

$$\{z|A^{-1}(z) \text{ possède plus d'un élément}\},$$

sont des ensembles de mesure zéro. ∘

En appliquant le théorème 7H aux multi-applications sous-gradient et en utilisant le théorème 7B et la proposition 7D, on obtient des résultats, sur la *dérivabilité du second ordre* (au sens d'un développement en série de Taylor du second ordre).

COROLLAIRE 7J.   Une fonction f propre, convexe et semi-continue inférieurement sur R^n est deux fois différentiable presque partout sur int(dom f) $\circ$

COROLLAIRE 7K.   Une fonction de selle définie sur $R^n \times R^m$, à valeurs finies est deux fois différentiable presque partout.$\circ$

Le résultat du corollaire 7J est classique (Alexandroff [33]) tandis que celui du corollaire 7K est nouveau. Ce dernier peut se voir comme une conséquence du théorème de Mignot, et est d'une grande importance à cause du rôle que jouent les fonctions de selle dans la caractérisation des solutions de nombreux problèmes d'optimisation. (Il a également des implications dans le domaine des solutions de problèmes de programmation convexe, dont les derivées dépendent de certains paramètres, ainsi que dans le domaine des systèmes hamiltoniens dynamiques généralisés en commande optimale. Pour les fonctions de selle qui ne prennent pas partout des valeurs finies, ce résultat peut aussi s'énoncer mais sous une forme plus générale.)

A l'origine, le théorème qui suit a été développé comme généralisation du théorème 5C. Il serait également intéressant d'avoir une certaine généralisation du théorème 5G, qui s'appliquerait à une classe plus étendue de multi-applications

liées aux multi-applications sous-gradients de certaines fonctions non convexes.

THEOREME 7L   (Rockafellar [34]) Soient les multi-applications monotones maximales A_1 et A_2 pour lesquelles

$$\text{dom } A_1 \cap \text{int(dom } A_2) \neq \phi. \qquad (7.9)$$

Alors $A_1 + A_2$ est une multi-application monotone maximale. ◦

COROLLAIRE 7M.   Soient une multi-application monotone maximale $A_0 : R^n \to R^n$ et D un sous-ensemble convexe et fermé
sur R^n. Si une des conditions :

    (a) dom $A_0 \cap$ int D $\neq \phi$, ou
    (b) D $\cap$ int(dom A_0) $\neq \phi$,

est satisfaite, alors la multi-application $A : R^n \to R^n$ définie
par

$$A(x) = \begin{cases} A_0(x) + N_D(x) & \text{si } x \in D, \\ \phi & \text{si } x \notin D, \end{cases} \qquad (7.10)$$

est monotone maximale. ◦

    Ce corollaire correspond au théorème 7L dans le cas où
$A_1 = A_0$ et $A_2 = \partial \psi_D$ (qui est monotone maximale par le
théorème 4B). Pour A défini par (7.10), on a

$$0 \in A(x) \Leftrightarrow x \in D \text{ et } -A_0(x) \cap N_D(x) \neq \phi. \quad (7.11)$$

Ainsi on obtient des conditions générales permettant de réduire l'inéquation variationnelle (voir chapitre 5) pour A_0 monotone maximale à la condition $0 \in A(x)$ pour A monotone maximale. Dans ce cas, on peut faire intervenir différents résultats. Par exemple, l'ensemble des solutions de l'inéquation variationnelle est $A^{-1}(0)$, et par conséquent, cet ensemble est convexe et fermé (voir théorème 7G).

La condition $z \in A(x)$ est une expression plus générale de l'inéquation variationnelle de la multi-application $A_0^z(x) = A_0(x)-z$. L'ensemble des vecteurs z pour lesquels cette condition possède une solution x, est donc presque convexe (voir $R(A)$ dans le théorème 7G). Pour presque tout z, il existe au plus une solution (voir corollaire 7I).

Mentionnons encore un exemple de résultat semblable à un résultat du calcul sous-différentiel, nommément la "règle en chaîne" obtenue par le théorème 5K dans le cas de fonctions convexes et de transformations linéaires.

THEOREME 7N.   Soient $J:R^n \to R^m$ une transformation linéaire et $B:R^m \to R^m$ une multi-application monotone maximale. Alors la multi-application $A:R^n \to R^n$ définie par

$$A(x) = J^*(B(J(x)))$$

est monotone maximale. ⊛

La théorie des multi-applications monotones est en grande partie inspirée des applications aux équations différentielles partielles. Comme ces applications ne sont pas évidentes,
nous terminons par un exemple en dimension infinie.

Soient Ω un ensemble ouvert, borné de R^p et

$$J : \mathcal{L}^2(\Omega, R^n) \to \mathcal{L}^2(\Omega, R^m)$$

un opérateur linéaire à domaine dense ayant un graphe fermé.
(Plusieurs opérateurs différentiels sont de cette forme.) Pour
$x \in \text{dom } J$, x est une fonction de $s \in \Omega$, à valeurs dans R^n,
tandis que Jx est une fonction de $s \in \Omega$, à valeurs dans
R^m. Nous définissons la fonctionnelle f sur $\mathcal{L}^2(\Omega, R^n)$ par

$$f(x) = \begin{cases} \int_\Omega \varphi((Jx)(s), s)\,ds & \text{si } x \in \text{dom } J \\[2ex] +\infty & \text{si } x \notin \text{dom } J, \end{cases}$$

où $\varphi : R^m \times \Omega$ satisfait les conditions:

(a) $\varphi(v,s)$ est à valeurs finies et mesurable par
rapport à s;

(b) $\varphi(v,s)$ est convexe et différentiable par rapport
à v;

(c) $\alpha_0 |v|^2 + \alpha_1(s) \le \varphi(v,s) \le \beta_0 |v|^2 + \beta_1(s)$
pour les constantes $\alpha_0 > 0$, $\beta_0 > 0$ et les
fonctions intégrables α_1 et β_1.

Alors f est une fonction propre, convexe et semi-continue

inférieurement sur $\mathcal{L}^2(\Omega,R^n)$, telle que

$$\partial f = J^*BJ ,$$

où $B:\mathcal{L}^2(\Omega,R^m) \to \mathcal{L}^2(\Omega,R^m)$ est l'application donnée par

$$(Bu)(s) = \nabla_v\varphi(u(s);s).$$

(Voir [22, théorème 19].) L'application $A_0 = J^*BJ$ (qui est à valeur unique, généralement non linéaire mais dense) est, par conséquent, *cycliquement monotone maximale*, et en particulier *monotone maximale*.

Prenons par exemple, n=1 et

$$Jx = (\ldots, \frac{\partial^{[r]}x}{\partial s}, \ldots)$$

pour $r = (r_1,\ldots,r_p)$ tel que $r_1+\ldots+r_p \leq N$,

où

$$\frac{\partial^{[r]}x}{\partial s} = \frac{\partial^{r_1}}{\partial s_1}\frac{\partial^{r_2}}{\partial s_2}\ldots\frac{\partial^{r_p}}{\partial s_p}x \quad \text{pour } s = (s_1,\ldots,s_p)\in \Omega .$$

Les dérivées doivent s'interpréter comme dans la théorie des distributions, c'est-à-dire comme des fonctions de $\mathcal{L}^2$. On choisit comme domaine de J, l'espace de Sobolev $M^1(\Omega)$. Alors J est une opérateur linéaire à domaine dense. Soit

$$v = (\ldots,v_r,\ldots)$$

pour $r=(r_1,\ldots,r_p)$ tel que $r_1+\ldots+r_p \leq N,$

et choisissons φ tel que

$$\varphi(v,s) \;=\; \frac{1}{2} \sum_{r,q} b_{rq}(s) v_r \, v_q, \qquad (7.12)$$

où b_{rq} est une fonction bornée, mesurable (à valeurs réelles)
sur Ω. Pour $A_o = J^*BJ$, on obtient alors

$$(A_o x)(s) \;=\; -\sum_r \frac{\partial^{[r]}}{\partial s}[\sum_q b_{rq}(s) \frac{\partial^{[q]}}{\partial s} x](s), \qquad (7.13)$$

qui est une sorte d'opérateur elliptique d'ordre N.

Puisque φ est convexe, la matrice $[b_{rq}(s)]$ dans (7.12)
est symétrique et positive définie. Alors A_o tel que défini
en (7.13) est cycliquement monotone maximale. Si la matrice
correspond à celle d'une transformation linéaire *monotone*,
alors A_o est monotone. Si φ est une fonction convexe par
rapport à v, plus générale que celle définie en (7.12), alors
A_o est non linéaire, et si on néglige l'hypothèse de dérivabilité de φ, A_o n'est plus à valeur unique.

Les inéquations variationnelles pour ce type d'opérateur
correspondent aux "équations différentielles partielles généralisées" (et aux problèmes des valeurs à la frontière). Les
espaces de Sobolev s'avèrent plus adéquats que les espaces $\mathcal{L}^2$
pour le traitement de telles conditions.

RÉFÉRENCES

1. S. SAKS, *Theory of the Integral*, second revised edition, Hafner Publishing Co., New York, 1937.

2. M.R. HESTENES, *Optimization Theory: The Finite Dimensional Case*, Wiley-Interscience, New York, 1975.

3. M.R. HESTENES, *Calculus of Variations and Optimal Control Theory*, Wiley & Sons, New York, 1966.

4. L.W. NEUSTADT, *Optimization: A Theory of Necessary Conditions*, Princeton University Press, Princeton, N.J., 1976.

5. F.H. CLARKE, "Generalized gradients and applications", *Trans.A.M.S.* *205* (1975) 247-262.

6. R.T. ROCKAFELLAR, "Clarke's tangent cones and the boundaries of closed sets in R^n", *Nonlin. Analysis*, à paraître en 1978.

7. R.T. ROCKAFELLAR, *Convex Analysis*, Princeton University Press, Princeton,N.J., 1970.

8.   V.F. DEMJANOV et V.N. MALOZEMOV, *Introduction to Mini-max*, Wiley & Sons, New York, 1974.

9.   R.T. ROCKAFELLAR, "Generalized directional derivatives and subgradients of nonconvex functions", *Canad.J.Math.*, à paraître.

10.   J.B. HIRIART-URRUTY, "Tangent cones, generalized gradients and mathematical programming in Banach spaces", *Math. of Op. Res.*, à paraître.

11.   J.M. DANSKIN, *The Theory of Max-Min and its Applications to Weapons Allocation Problems*, Springer Verlag, New York, 1967.

12.   V.F. DEMJANOV and V.N. MALOZEMOV, "The theory of non-linear minimax problems", *Russian Math.Surveys 26* (1971) 57-115.

13.   R.T. ROCKAFELLAR, *Convex Functions and Dual Extremum Problems*, thesis, Harvard University, 1963.

14.   R.T. ROCKAFELLAR, "Extension of Fenchel's duality theorem", *Duke Math.J. 33* (1966) 81-90.

15.   R.T. ROCKAFELLAR, "Directionally Lipschitzian functions and subdifferential calculus", *Bull.London Math.Soc.* à paraître.

16.   F.H. CLARKE, "A new approach to Lagrange multipliers", *Math. of Op.Research 1* (1976) 165-174.

17.   L. McLINDEN, "Dual operations on saddle functions", *Trans.A.M.S. 179* (1973) 363-381.

18.   F.H. CLARKE, "Generalized gradients of Lipschitz functionals", *Advances in Math.*, à paraître.

19. J.B. HIRIART-URRUTY, *Contributions à la programmation mathématique: cas déterministe et stochastique*, thèse, Université de Clermont-Ferrand II, 1977.

20. F.H. CLARKE, "On the inverse function theorem", *Pacific J.Math. 64* (1976) 97-102.

21. W. FENCHEL, "On conjugate convex functions", *Canad.J. Math. 1* (1949) 73-77.

22. R.T. ROCKAFELLAR, *Conjugate Duality and Optimization*, CBMS Lecture Note Series No. 16, SIAM Publications, 1974.

23. J. GAUVIN, "The generalized gradient of a marginal function in mathematical programming", *Math. of Op. Research,* à paraître.

24. J.P. AUBIN et F.H. CLARKE, "Multiplicateur de Lagrange en optimisation non convexe", *C.R. Acad.Sci.Paris 285* (1977) 451-454.

25. J.J. MOREAU, "Proximité et dualité dans un espace hilbertien", *Bull.Soc.Math.France 93* (1965) 273-299.

26. G.J. MINTY, "On the monotonicity of the gradient of a convex function", *Pacific J. Math. 14* (1964) 243-247.

27. R.T. ROCKAFELLAR, "On the maximal monotonicity of subdifferential mappings", *Pacific J.Math. 33* (1970) 209-216.

28. G.J. MINTY, "Monotone (non linear) operators in Hilbert space", *Duke Math.J. 29* (1962) 341-346.

29. G.J. MINTY, "On the maximal domain of a 'monotone' function", *Michigan Math.J. 8* (1961) 135-137.

30.   R.T. ROCKAFELLAR, "On the virtual convexity of the domain and range of a nonlinear maximal monotone operator", *Math. Ann. 185* (1970) 81-90.

31.   R.T. ROCKAFELLAR, "Local boundedness of nonlinear monotone operators", *Michigan Math.J. 16* (1969) 397-407.

32.   F. MIGNOT, "Un théorème de différentiabilités; applications aux projections et au contrôle dans les inéquations", *Séminaire sur les Equations aux Dérivées Partielles 1973-7*, Université Paris VI.

33.   A.D. ALEXANDROFF, "Almost everywhere existence of the second differential of a convex function and some properties of convex surfaces connected with it", *Leningrad State Univ.Ann., Math.Ser. 6* (1939) 3-35 (Russian).

34.   R.T. ROCKAFELLAR, "Maximality of sums of nonlinear monotone operators", *Trans.A.M.S. 149* (1970) 75-88.

LES PRESSES DE L'UNIVERSITÉ DE MONTRÉAL

C.P. 6128, Montréal, Succ. «A», Qué., Canada H3C 3J7

EXTRAIT DU CATALOGUE

Mathématiques

Achevé d'imprimer le 19 avril 1979
par les travailleurs des ateliers Marquis Ltée de Montmagny